Fedro Carlos Guillén

¿ADOLESCENTE? ERES UN MUTANTE DISFRÚTALO

Fedro Carlos Guillén

¿ADOLESCENTE? ERES UN MUTANTE DISFRÚTALO

Planeta

Diseño de portada e interiores: Ramón Navarro / Estudio Navarro

Bajo el sello editorial PLANETA M.R.
Avenida Presidente Masarik núm. 111, Piso 2
Colonia Polanco V Sección
Deleg. Miguel Hidalgo
C.P. 11560, México, D.F.
www.planetadelibros.com.mx

Primera edición: abril de 2015
ISBN: 978-607-07-2759-7

Impreso en los talleres de Programas Educativos, S.A. de C.V.
Calzada Chabacano no. 65, local A, colonia Asturias, México, D.F.
Impreso y hecho en México — Printed and made in Mexico

ALGUNAS PALABRAS

Hola: me llamo Fedro y cuando leas este libro habré cumplido 55 años (lo empecé a escribir a los 54). Seguramente te preguntarás cómo una persona de mis bastantes años puede dirigirse a una de tus pocos años. Bien, a mi favor te puedo decir que (como decimos muchos adultos, a veces en plan de sermón) alguna vez tuve tu edad. Fui a la primaria, la secundaria y la prepa, y grabé muchos momentos inolvidables, como los que estás viviendo hoy. Claro, en la época en la que fui joven el mundo era muy diferente; no había celulares, ni tablets, ni computadoras. ¿Te imaginas? Para hacer una tarea era necesario sacar libros y libros de papel, que se amontonaban en la mesa de mi casa. Si quería pedir un permiso era necesario llamar de un teléfono fijo, con la mala suerte de que a veces no estuvieran mis padres. Tampoco había Google y mucho menos Wikipedia. Esto no quiere decir que fuera un mundo más difícil, pero sí diferente. Como sé que no es suficiente, ni lo más importante, declarar que fui joven, te contaré algo que creo más importante; tengo dos hijos, María y Fedro, que acaban de pasar por un proceso en el que tú estás inmerso. A veces fue divertido, a veces no; ya sabes, los permisos, las fiestas, las novias y novios y los desacuerdos, pero creo que su madre y yo nos sentimos muy satisfechos de lo que han logrado. Mi hija acaba de entrar a estudiar Relaciones Internacionales en El Colegio de México y Fedro arranca su último año de prepa, con miras a convertirse en estudiante de Física en la UNAM.

Cuando pensé en este libro traté de hacer un recorrido por lo que viví como hijo y como padre. Como te he explicado, algunas experiencias de mi juventud se distancian de las tuyas pero las que he vivido con mis hijos me acercan un poco más. He pensado en ellos como destinatarios de este libro y me gustaría pensar que también tú lo leerás. He procurado buscar temas que sean importantes para ti y tratarlos sin un lenguaje pomposo, que a veces se piensa que es el mejor para comunicar ideas... Yo creo que no.

VAYAMOS PUES.

Espero que en este texto encuentres respuestas y, ¿por qué no?, preguntas que te permitan disfrutar de tu adolescencia de la manera más plena posible.

ÍNDICE

FUMAR MATA.

CAPÍTULO UNO

Fedro Carlos Guillén

¿ADOLESCENTE? ERES UN MUTANTE DISFRÚTALO

MIS CAMBIOS

Las hormonas y las emociones (confusión, enojo, incomprensión).

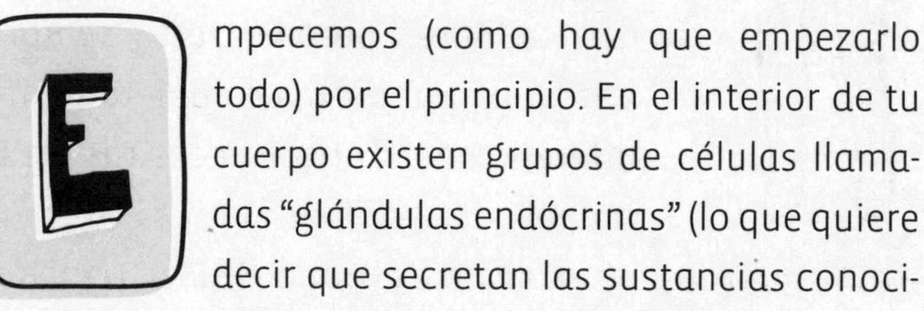

Empecemos (como hay que empezarlo todo) por el principio. En el interior de tu cuerpo existen grupos de células llamadas "glándulas endócrinas" (lo que quiere decir que secretan las sustancias conocidas como hormonas en el interior del cuerpo). Las hormonas son una especie de "mensajeros" químicos que avanzan por nuestro organismo y se encargan de regular un montón de cambios, como el crecimiento y desarrollo, el metabolismo (que es la forma en que nuestro cuerpo procesa la energía de los alimentos que comemos), las funciones sexuales, los procesos reproductivos y (esto es muy importante) tu estado de ánimo, que seguramente sientes en un proceso de cambio.

Tu infancia ocurrió, con seguridad, sin mayores sobresaltos (a lo mejor no, pero en este libro habla-

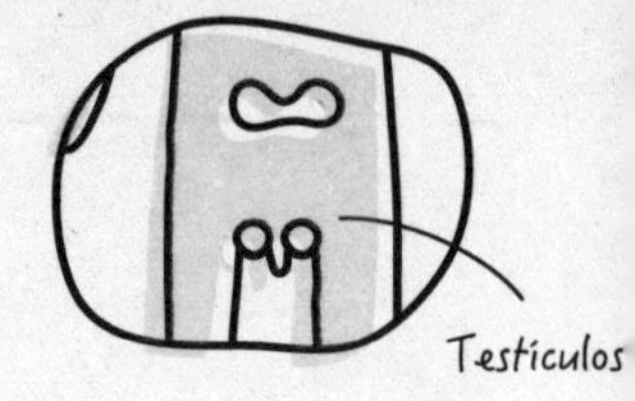

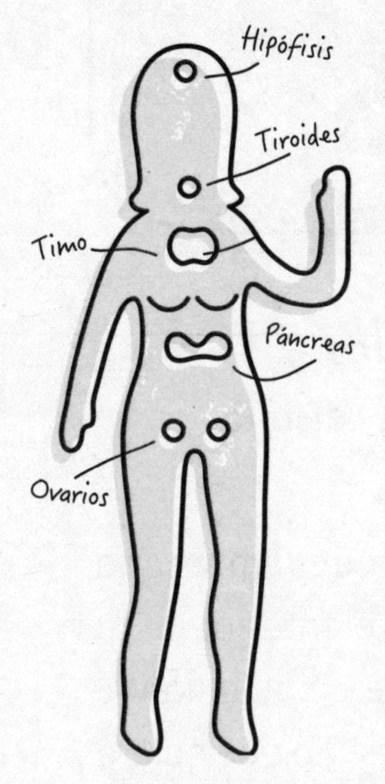

remos de generalidades, más que de excepciones). Tenías cuidados y todo era confortable y divertido, y de pronto, casi de manera súbita, entras a un mundo diferente, en que en ocasiones las presiones se vuelven muy pesadas. Estás "saliendo del capullo", como dicen los padrinos cursis de las quinceañeras, pero es cierto, se abre ante ti un panorama completamente diferente, para el que necesitas estar preparado.

Voy a tratar de explicarte el papel de la activación hormonal al inicio de la adolescencia. Lo más evidente es que tu cuerpo cambia y tu sexualidad se modifica por completo (pero eso lo abordaremos un poco más adelante). Hay muchos estudios que demuestran que las variaciones hormonales influyen en la conducta pero no son determinantes. Para explicarlo, imaginemos que las hormonas son cerraduras de puertas que se pueden abrir o cerrar si existe la llave correcta. En muchos casos, esa llave proviene de tu entorno, ya que si bien todos pasamos por los mismos cambios (o muy similares), son las condiciones ambientales como las expectativas familiares o las presiones de tus amigos, las que pueden desencadenar muchas conductas, entre las que se cuenta el siguiente rosario: Mal humor, depresión, inquietud, falta de concentración, irritabilidad, impulsividad, ansiedad y problemas de agresión. ¿Algo de eso te suena familiar? En nuestro ejemplo, estos comportamientos son las cerraduras hormonales (pero ojo, estos cambios de conducta pueden deberse a factores estrictamente sociales).

Con toda seguridad has pasado por alguna de estas etapas y a veces (sólo a veces) las hormonas te pueden estar jugando una mala pasada.

Por lo mismo, es importante checar cómo están trabajando tus glándulas y la producción de hormonas en los momentos del cambio, pero no las podemos culpar de todo, ¿estás de acuerdo? No te imagino diciendo: "no llegué a casa o estoy furioso porque mis hormonas andan mal".

El caso es que a veces tus cambios de conducta se vinculan con los nuevos procesos químicos que se han activado en tu cuerpo, por lo que te reitero la importancia de monitorearlos, con el fin de evitar que se conviertan en un factor de desequilibrio. Existen muchos especialistas, como terapeutas y siquiatras, que pueden ser muy útiles en estas condiciones.

Caracteres sexuales primarios y secundarios

Cuentan que un hombre astuto puso un negocio en el que adivinaba el sexo del futuro bebé y ofrecía algo muy simple; sólo cobraría si acertaba en su pronóstico. El negocio era próspero hasta que alguien se percató de que lo único que hacía el estafador era jugar con las probabilidades. Dado que la posibilidad de que un niño recién nacido sea hombre o mujer son las mismas, él simplemente tiraba un volado; si atinaba recibía su dinero y si no, pues no cobraba... un negocio redondo.

Cuando ocurre la fecundación se unen las células sexuales del hombre y la mujer, el espermatozoide y el óvulo, que reúnen sus cromosomas. Los seres humanos tienen 23 pares de cromosomas y el par que determina el sexo es, justamente, el número 23. Las mujeres tienen dos cromosomas X y los varones un cromosoma X y uno Y. Cuando ocurre la reproducción, la madre solamente puede aportar un cromosoma X mientras el varón podría dar uno X o uno Y, si es el primer caso, el sexo del recién nacido será femenino, si aporta un cromosoma Y el bebé será masculino.

Desde el momento en que ocurre la fecundación se empiezan a formar los caracteres sexuales primarios, que son los órganos sexuales; en el caso de la mujer, la vagina, el útero y las trompas de Falopio, mientras que en el varón se forman el pene, los testículos y todos los conductos interiores. Durante aproximadamente 10 u 11 años, la única diferencia visible entre hombres y mujeres es justamente la anatomía de sus órganos sexuales, pero llegado ese momento da inicio un proceso hormonal que determina los caracteres sexuales secundarios. La edad de la aparición de estas características es variable y es determinada por muchos factores, entre los que se cuenta la dieta, la actividad física y el funcionamiento hormonal. Si damos fe de la honestidad de los países africanos en los mundiales juveniles de futbol, seremos testigos de la enorme variabilidad que puede haber en los rasgos del período adolescente, ya que sus jugadores miden mucho más que la media y algunos de ellos aparentan una edad mucho mayor.

Los caracteres sexuales secundarios en la mujer son la aparición del vello púbico y en las axilas, y la acumulación de grasa en las caderas, las piernas y los senos, lo que produce su ensanchamiento y la menstruación, que es el proceso que indica que la mujer es sexualmente fértil. La menstruación es un proceso por medio del cual el cuerpo se prepara a ser fecundado, generando paredes llenas de vasos sanguíneos; cuando esto no ocurre, las paredes del endometrio se desprenden y se producen sangrados que pueden ser más o menos abundantes y tienen un ciclo aproximado de 28 días. En el caso de los hombres, los caracteres secundarios son la aparición de vello axilar y genital, barba y bigote; enronquecimiento de la voz, ensanchamiento de las espaldas y las primeras eyaculaciones, que en muchos casos pueden ser nocturnas, produciendo una sensación muy agradable durante el sueño.

Hablamos de promedios, todos somos diferentes como veremos más adelante, no hay que preocuparse si este período de cambio se adelanta o es un poco más tardío... es perfectamente normal.

Todos somos diferentes

Hay una foto que te quiero mostrar; es esta:

Debe ser del lejanísimo año 1970, y si la tengo es porque aparezco en ella, justo antes de entrar a la secundaria. Éramos 11 hombres y 17 mujeres, y sólo me acuerdo de algunos de sus nombres; el más alto de los varones se llamaba José Antonio Harfusch, he olvidado el de la más alta de las mujeres, que se encuentra en el extremo derecho, y que supera en estatura al más bajo de todos, parado sobre un banquito... ése soy yo.

En efecto, yo era el alumno de menor estatura de mi generación, y la verdad es que estaba preocupado, porque era preocupante no saber si mi desarrollo estaba en riesgo y por el enorme valor que le daban mis compañeras a la estatura.

En toda población (los seres humanos no somos excepción) hay variaciones que se deben a las diversas mezclas de genes que poseemos y a nuestros hábitos, como la alimentación y el ejercicio. La tendencia natural es que haya un promedio del que se separan las tendencias extremas, formando una curva de campana en la que los datos más frecuentes se agrupan en el centro y los menos frecuentes a los lados:

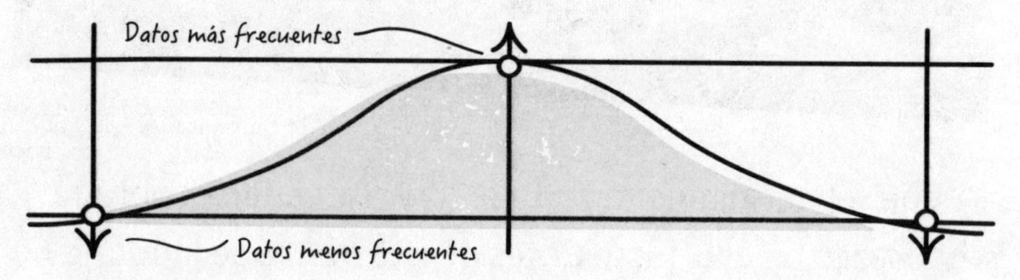

Es perfectamente normal que ocurran estas variaciones, sin embargo, a los que –como yo– llegamos en una etapa más tardía nos entra un miedo enorme a que no se presenten en el futuro. No te preocupes; a menos que haya una anomalía que tu pediatra puede detectar en una etapa temprana, las variaciones son naturales e inclusive deseables (¿te imaginas qué aburrido sería que todos fuéramos exactamente iguales?). Con toda seguridad tendrás amigos y amigas más altos o más bajos, algunos con la piel clara, otros con un tono más oscuro. Habrá quien lidie con el acné hormonal y quienes tengan ya cierto vello facial. Podemos pensar en una carrera en la que algunos llegan antes pero todos arriban a la meta, y como no se trata de una competencia sino de tu proceso de desarrollo debes estar tranquilo. Por cierto, hoy mido 1:75 y mis preocupaciones adolescentes fueron ampliamente superadas, aunque no contaba con que perdería el pelo.

Los promedios

"La estadística es una ciencia que demuestra que si mi vecino tiene dos coches y yo ninguno, los dos tenemos uno". Es una frase ligeramente burlona del escritor irlandés George Bernard Shaw (por cierto el primero en ganar un Premio Nobel y un Óscar de la Academia, el segundo y último fue Al Gore). La frase es excesiva, la estadística y sus promedios nos ayudan a entender mejor al mundo y en tu caso a percatarte de lo que te acabo de decir, el proceso de maduración es una especie de carrera en las que algunos se adelantan pero todos arriban a la meta. Te quiero presentar algunos datos: Para el INEGI , que es la institución encargada de llevar las estadísticas nacionales, el término "joven" abarca desde los 15 hasta los 29 años. Aquí te van algunas de sus cifras asociadas con la juventud en México.

- Hay 96 hombres por cada 100 mujeres
- En el Distrito Federal sólo 24.9% son jóvenes, mientras que en Quintana Roo (el estado con más jóvenes), representan 31.4% de la población.
- Entre 15 y 19 años, el 93.2% de los varones y 82.7% de las mujeres son solteros.
- El 44% vive con sus dos padres; 36.2% con ninguno de ellos, 2% vive con su padre y 13.7% con su madre.
- 36.5% termina la secundaria, 28.4% la prepa y 16.3% la licenciatura.
- La primera menstruación y producción de semen ocurren alrededor de los 13 años.
- La primera relación sexual ocurre en promedio a los 16 años.
- En las mujeres, los primeros brotes de senos pueden ocurrir desde los 8 años.
- En las mujeres, el vello empieza a aparecer entre los 9 y los 10 años, y alcanza su desarrollo total entre los 13 y 14 años.
- En los hombres, el vello empieza a parecer a los 12 años y alcanza su desarrollo total entre los 17 y 18 años.
- Los genitales completamente desarrollados se presentan entre 17 y 18 años en los adolescentes varones.

1 Instituto General de Geografía, Estadística e Informática. En esta página encontrarás información más desarrollada: http://www.inegi.org.mx/inegi/contenidos/espanol/prensa/contenidos/Articulos/sociodemograficas/mexico-jovenes.pdf

Estoy seguro de que sabes que un promedio se obtiene sumando los resultados de todos los elementos de una muestra y dividiendo esa cifra entre el número de casos, en este caso de jóvenes. Por ejemplo, el promedio del peso de tu salón, es la suma del peso de todos sus integrantes, dividido entre el total de participantes de la muestra. Bueno, si bien la mayoría de los datos se agrupan en la parte media, existen tendencias con menor frecuencia hacia los extremos. Esto quiere decir que habrá quien tenga una actividad más temprana y otros con un desarrollo o comportamientos tardíos. Es saludable que analices estas tendencias centrales y si percibes algo fuera de rango lo platiques con tus padres y tu médico.

¿Por qué no debo preocuparme?

Buscamos estándares de belleza que son estereotipos, es decir, una meta ideal a la que muchos aspiran. El colmo de la estupidez, en estos casos, lo ha ganado Ron Harris, un fotógrafo que subasta en la red óvulos de modelos “muy hermosas” para que los interesados los adquieran y los puedan fertilizar con su semen. “Si pudieran pagar por hijos bellos, ¿no lo harían?” –se pregunta Harris. Lo anterior demuestra lo mal que están las cosas. Eres como eres porque eso está codificado en tus genes: tu color de pelo, tu peso, tu estatura, tu metabolismo y muchas cosas más.

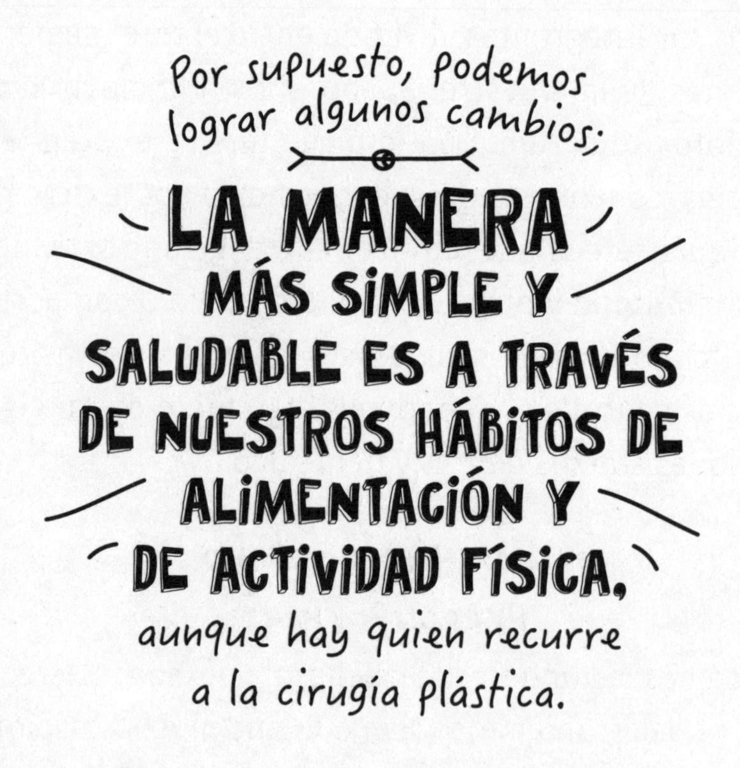

En el momento que escribo esto te imagino al leerlo y pienso que a lo mejor creerás que es pura palabrería, que los "guapos" son siempre los más "populares" y que las cosas siempre serán así, que lo demás es palabrería, bla bla bla. Correcto, vamos a platicarlo un poco más. Alguna vez una amiga me dijo: "No puedo creer cómo Julia Roberts puede andar con alguien tan feo como Lyle Lovett". Mientras me mostraba la fotografía de un hombre ciertamente no muy agraciado, con cierta ingenuidad propuse: "¿y no será porque es un tipo interesante y talentoso?". Mi amiga me miró con cierta compasión y elevó los ojos al cielo, en un gesto con el que interpreté que me decía de manera no verbal: "no entiendes nada". Pues resulta que, en efecto, no entiendo nada. Cuando entras a la secundaria estás en una etapa muy inicial de tu desarrollo, si piensas que la esperanza de vida en nuestro país es de 73 años en varones y 78 en mujeres; esto quiere decir que queda mucho camino por delante. En las etapas iniciales de la vida tendemos a banalizar ciertas cosas y le asignamos importancia a otras que —créeme— no la tienen tanto.

Te haré una pregunta: ¿Cómo te imaginas en 15 años? Piensa cuidadosamente y dime cuáles de las siguientes características te serán más provechosas para llegar a esa meta; asigna un valor de 0 si crees que sería intrascendente y de 10 si consideras que sería imprescindible:

1 Belleza física ___
2 Inteligencia ___
3 Preparación académica ___
4 Sociabilidad ___
5 Sentido de compromiso ___
6 Capacidad de trabajar en grupo ___
7 Cultura general ___

Correcto. ¿A qué atributo le diste una puntuación mayor?, ¿a cuál menos? Piensa en eso de manera cuidadosa y reflexiona sobre el verdadero valor de la "popularidad" en tu ámbito social, familiar y escolar. Ser alguien cercano a lo que los parámetros estéticos llaman "belleza" es un mero accidente genético, el resto de los atributos se construyen, y en consecuencia tienen mayor o menor mérito.

¿Más es mejor?

Me encontré esta fotografía en la red y no me gustó. Es evidente que este hombre ha trabajado su cuerpo hasta llevarlo a un nivel que encuentro simplemente grotesco. Siempre he sido muy respetuoso de las deci-

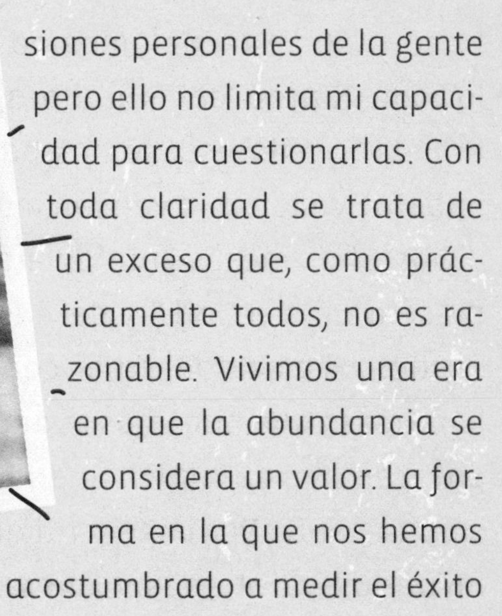

siones personales de la gente pero ello no limita mi capacidad para cuestionarlas. Con toda claridad se trata de un exceso que, como prácticamente todos, no es razonable. Vivimos una era en que la abundancia se considera un valor. La forma en la que nos hemos acostumbrado a medir el éxito es monetizada, se asume que quien tiene dinero es mejor que quien no lo tiene. Muchos restaurantes ofrecen comer "todo lo que quiera" por una cantidad determinada. Los hombres tienden a comparar el tamaño de sus penes y creen que si la longitud es mayor se trata de buenas noticias, mientras que las mujeres aspiran a tener senos más grandes ya que consideran que son más atractivos.

Nuestro modelo aspiracional es el de un alto consumo de energía; deberías saber que si todos la consumiéramos con un estadounidense promedio necesitarías siete planetas Tierra para abastecer esas demandas. ¿Te imaginas?

La revolución tecnológica nos hace aspirar a tenerlo todo: laptop, computadora, celular, iPod, cámara, tablet; no sólo eso, se nos ha adiestrado a que sea imperativo tener la versión más actualizada. Cuando llevas unos meses con la versión 4 de un gadget se presenta la versión 5 y deseas tenerla de inmediato. Tendemos a compararnos con el resto. Piensa qué es lo primero que hacemos cuando llegamos a un lugar; por ejemplo, a una fiesta en la que no conocemos a mucha gente. Por lo general analizamos a los demás invitados, valoramos si nuestro atuendo es adecuado, nos fijamos en las marcas de las bolsas o de la ropa. ¿Tiene sentido? Yo creo que no, y te invito a que lo pienses. Reflexiona sobre el criterio que utilizas para comprar un libro, estoy seguro de que no lo haces por su aspecto, ya que no sería sensato. Lo importante de un texto es su contenido. Lo mismo pasa con todos nosotros, los factores externos son los menos relevantes, y quizá los más vacíos. Hace algún tiempo la hija del dirigente sindical de Pemex subió a su muro de Facebook las bolsas que tenía y alardeó de sus viajes. Las reacciones fueron muy adversas, porque se consideró que esa ostentación era de un mal gusto terrible. Compararte con los demás es de algu-

na manera un signo de inseguridad que tiene poco sentido, y que inevitablemente te dejará mal parado. Aprende a vivir con lo que eres y con lo que tienes. Ello, desde luego, no supone que no busques el progreso personal, sólo procura que los valores que te guíen sean los correctos.

No me gustan los deportes

Si la frase que acabas de leer refleja tu opinión te diré en principio, y con franqueza, que es una pena. La actividad física es muy importante en el proceso de desarrollo en el que te encuentras, y sería altamente deseable que lo tuvieras claro. Nuestros hábitos alimentarios se han transformado en los últimos años, la comida chatarra y la publicidad han generado un aumento preocupante en los índices de obesidad de los mexicanos, hasta constituir el primer problema de salud pública en nuestro país; para atenderlo se destina 7% de todo el presupuesto que tiene el gobierno asignado a la seguridad social.

Una de las primeras razones para que no te guste el deporte es que no tienes suficientes aptitudes, pero nada hay de malo en ello; piensa simplemente que si consideramos a los jugadores titulares de todos los equipos de primera división en el futbol tendremos un número de 198 en un país con más de 110 millones de habitantes, cuya mitad aproximada son varones. Los adolescentes suelen ser muy competitivos, y el deporte no es la excepción; en ocasiones se desata mucha crueldad en torno a quien no tiene las capacidades para destacar en alguna actividad física, y ello nos produce la necesidad de alejarnos de ese ambiente.

Parte del problema es que los deportes están asociados a frases chatarra como "ser el mejor", "lo importante no es ganar, es lo único", y tonterías por el estilo, que se convierten en un reto al que nadie debería estar sometido. Ser deportista de alto rendimiento está bien, si es lo que quieres en la vida (mi hermana mayor fue campeona panamericana de tenis de mesa, y me consta que el esfuerzo que hacía no era envidiable). Sin embargo, las cosas pueden cambiar muchísimo si enfocas el deporte como un espacio divertido y de convivencia.

Bien, esos son mis argumentos a favor, pero puedo entender que no todo es para todos, y así como hay personas apasionadas de la actividad deportiva hay otras que se interesan más en la literatura o el cine, sin que por supuesto esto las haga excluyentes. El premio Nobel de literatura Albert Camus era un apasionado del futbol, deporte en el que jugó de portero durante algunos años. El caso es que si los deportes no te interesan o no te atraen nadie debe obligarte a practicarlos, ya que con toda seguridad lo harás de mala gana.

Deberíamos pasar, entonces, a otra pregunta: ¿Qué sí te interesa? "Nada" sería una respuesta muy desalentadora, porque este mundo ofrece un ramillete variadísimo de opciones, entre las que se cuentan las que mencionamos: el cine, la literatura, la ciencia, la música, el arte, la tecnología son sólo algunos de los ejemplos que te puedo ofrecer.

Mi consejo en este caso es que ojalá te intereses en tener algo de actividad física, ya que tu cuerpo y su salud te lo van a agradecer. En caso contrario, no te preocupes; como hemos visto, hay muchísimas actividades alternativas que puedes realizar a plenitud.

Recuerda que vivimos en una cultura hedonista, es decir, basada en el placer, y muchos encuentran que un cuerpo bien formado es un gran avance, de ahí que esté de moda "ir al gym". La realidad es más complicada y menos superficial... estoy seguro que lo irás aprendiendo.

CAPÍTULO DOS

Fedro Carlos Guillén

¿ADOLESCENTE? ERES UN MUTANTE DISFRÚTALO

EL PROCESO DE "LIGUE"

Tantos siglos, tantos mundos,
tanto espacio y coincidir...

ALBERTO ESCOBAR

No me pela

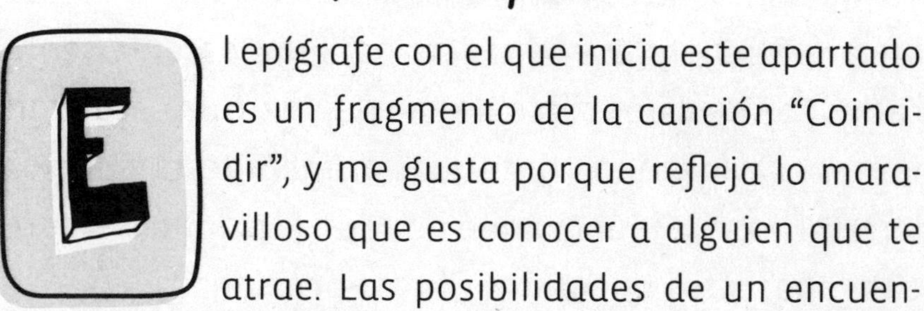

El epígrafe con el que inicia este apartado es un fragmento de la canción "Coincidir", y me gusta porque refleja lo maravilloso que es conocer a alguien que te atrae. Las posibilidades de un encuentro son infinitamente pequeñas; nacer en el mismo tiempo y en la misma ciudad ya es difícil, y aun así la inmensa mayoría de las personas de tu localidad seguramente son desconocidas para ti. Tengo que contarte ya que yo pertenecía a una especie de hermandad ridícula que juraba permanecer soltera toda la vida. Por fortuna, las hormonas cambiaron esta decisión y pronto me sentí atraído por la mujer más guapa de mi grupo: Ángeles. Mis posibilidades con ella eran las mismas que tengo de ganar el Nobel de Literatura, pero la experiencia me dejó varios aprendizajes que quiero compartirte.

Es muy probable que en esta etapa de tu vida experimentes la atracción, y las razones que la detonan son múltiples. Desde luego, el atractivo físico de la persona influye, pero también su conversación, el sentido del humor e inclusive su popularidad, ya que por alguna razón sentimos que alguien popular que se fija en nosotros nos transfiere esta cualidad. Está bien, cualquiera que sea la razón, seguramente sentirás ganas de estar cerca de esa persona, de escucharla, tomarle la mano y besarla. Sin embargo, la vida nos enseña con frecuencia que no todo funciona siempre como nosotros queremos. Habrá ocasiones en que te enfrentes a decepciones debido a que la persona que te gusta y te atrae no siente lo mismo por ti. Cuando esto ocurra (y créeme que ocurrirá) trata de analizar las razones de esta negativa, y en caso de que creas que se vinculan con alguna deficiencia tuya procura remediarla.

UN BUEN CONSEJO ES QUE EVITES OBSESIONARTE;

cuando alguien te dice que no está interesado en ti a veces tiendes a pensar que es un juego en el que la insistencia abrirá las puertas, y esto rara vez ocurre.

Otro consejo; procura ir despacio, así como al momento de entrar a una alberca tocas el agua con la punta del pie para decidir si su temperatura es agradable para echar un chapuzón, lo mismo pasa con las relaciones. Hay indicadores muy claros que te guiarán para saber si debes avanzar o retroceder: ¿Contesta tus llamadas? ¿Acepta invitaciones? ¿Te ha dicho en varias ocasiones que no puede salir? ¿Platica contigo? ¿Te busca? Todas estas preguntas son referentes importantes que debes observar.

Si crees que ha llegado el momento de expresar tu atracción hazlo con claridad, evita juegos. Pocas cosas son más tontas que fingir indiferencia cuando en realidad te interesa alguien; las señales deben ser claras y abiertas. Olvida esos códigos de frialdad que en nada ayudan.

Si alguien no te hace caso debes tratar de asimilarlo y vencer la frustración que produce el rechazo; la pareja correcta llegará a su debido tiempo, salvo que ocurra alguna calamidad. Hoy recuerdo a Ángeles con mucho cariño, ya que gracias a ella me di cuenta de que todo estaba cambiando, y aunque nunca me hizo caso salí adelante y encontré, meses más tarde, a Britta... pero esa es otra historia.

¿Y si dice que sí?

El otro lado de la moneda es cuando alguien corresponde; te dice que sí, y entonces surgen otro tipo de dudas, ya que nadie nos enseña qué es lo que debemos decir o hacer y normalmente (lo entiendo perfecto) no se recurre a los padres para pedir un consejo sobre este tema.

Es en verdad importante que mantengas un alto proceso de comunicación con tu nueva pareja y que hablen con claridad sobre lo que les atrae a ambos y lo que no: ¿Hablar por teléfono?, ¿ir a fiestas?, ¿el cine?, ¿hasta dónde llegar? Para que una pareja funcione es necesario que haya un equilibrio de intereses y acuerdos, de otra manera será muy difícil.

Otro problema que surgirá será el de tus amigos y amigas. Por lo general hay varias personas con quienes has compartido muchos años de crecimiento y están acostumbradas a tu amistad. En el momento que inicias una relación es evidente que los ratos que antes pasabas con ellos disminuirán, y ello puede provocar problemas; por ejemplo, que te obliguen a optar o saboteen tu nueva relación. Por supuesto, esto es absurdo y ligeramente ridículo; no se compite por el cariño de nadie ni debes permitir que esto te afecte. Si en verdad son tus amigos, se alegrarán por ti.

Un buen consejo es que intentes ser auténtico; a veces, en el proceso de cortejo caemos en conductas que se apartan de nuestro modo de ser. Tratamos de impresionar, de ser comprensivos y entenderlo todo, aunque no estemos de acuerdo. Eso no puede mantenerse en el largo plazo, ya que resulta muy desgastante e inútil.

Un par de personas aparecerán en el horizonte: tus suegros, es decir, los padres de tu pareja. A veces son una presencia intimidante, que causa miedo. Debes entender que para ellos la experiencia también es nueva, y con frecuencia temen que su hijo o hija salga lastimado; es por ello que a veces son tan estrictos o ponen la cara muy seria (como lo hice yo al conocer al primer novio de mi hija, que resultó un muchacho extraordinario). En este caso la sugerencia es que respeten las reglas, como las horas de llegada o los posibles permisos para salir de la ciudad; son normas elementales y sensatas. Sin embargo, a veces pasa que tus padres se oponen a una relación; en este caso es importante oír sus argumentos, y si consideras que no son correctos o estan desinformados platica con ellos, tratando de hacerles ver que las decisiones que tomas han sido meditadas y son producto de una reflexión personal y de la atracción que sientes por alguien.

Procura no precipitarte, recuerda que cada cosa tiene su tiempo en la vida; una pareja adolescente no tiene por qué copiar los patrones de una pareja adulta, ya que no se trata de una relación "a escala" sino de otra, en la que los códigos y los compromisos son por completo diferentes. Disfruta este momento de tu vida y haz caso a todos aquellos que dicen que el primer amor es inolvidable; en efecto lo es, y seguramente lo recordarás con profundo cariño y un toquecito de nostalgia cuando llegues a una edad tan avanzada como la mía.

Los celos

"Los celos son una mezcla explosiva de amor, odio, avaricia y orgullo", escribió el francés Alphonse Karr en el siglo XIX.

Analicemos la frase, ya que a mí me parece llena de sabiduría. Partimos del principio de que sólo podemos sentir celos por alguien a quien amamos, y se ha llegado a niveles absurdos, como llegar a pensar tonterías como "si no te cela es que no te ama". En efecto, el amor es uno de los motores que activan esa sensación de angustia y molestia llamada celos, que la Real Academia Española de la Lengua define como: Recelo que alguien siente de que cualquier afecto o bien que disfrute o pretenda llegue a ser alcanzado por otro. En otras palabras, que alguien nos baje a la pareja o ésta se interese más en otro.

¿Por qué dice Karr que también hay un motor de odio? Porque, en efecto, el solo hecho de pensar que la persona que amamos piense en alguien más nos produce a veces una profunda violencia interna. De hecho, hay un proceso patológico llamado "celotipia", que se caracteriza por celos irracionales y poco fundados. Las personas que lo padecen sufren muchísimo, y son las que espían los celulares o los correos y llaman todo el día para averiguar tu ubicación; en las fiestas pelean si alguien te mira y son, en general, un verdadero fardo del que hay que alejarse lo más pronto posible.

¿Avaricia? Pues sí. Es frecuente que las parejas que inician una relación utilicen frases como "¿verdad que eres mío?" o "yo te pertenezco". Está bien, como una muestra de amor indeclinable la frase podría pasar, pero en la realidad es profundamente peligrosa. Una relación no es un contrato de propiedad mutua en el que uno se ofrece de forma incondicional, sino un pacto que se construye con cariño y confianza. Pretender que tu pareja no tenga amigos y amigas es limitarla, y créeme, eventualmente se volverá muy aburrido.

NO SER AVARICIOSO EN EL AMOR ES UN BUEN CONSEJO QUE DEBES PENSAR.

Por último, el orgullo. Es normal y razonable que nuestra pareja nos atraiga y nos sintamos orgullosos de su compañía, pero esa forma de orgullo nada tiene que ver con la acepción que Karr le da en su frase. A lo que se refiere el escritor francés es a esa sensación tan desagradable que sentimos cuando alguien afecta nuestra autoestima. Tendemos a pensar que no hay nadie mejor que nosotros, que somos una pareja ideal y que si nuestra relación se ve amenazada por un tercero es porque esta autopercepción se ha debilitado. Pensar [illegible] alguien pueda hacer más feliz a nuestra pare[illegible]ce una profunda angustia que deton[illegible] celos.

[illegible] el genial dramaturgo inglés, escrib[illegible]gedia en la que su protagonista es convencido [illegible]ue su esposa lo engaña y al final, en un arrebato, la ahorca. Cuando Otelo se da cuenta de que todo era falso se quita la vida. La obra fue escrita en el lejanísimo año de 1603 y da cuenta de la permanencia de un sentimiento presente desde hace cientos de años en las relaciones humanas.

Supongo que sentir algo de celos es normal y le agrega un poco de sal a una relación; sin embargo, son una influencia muy negativa en las relaciones si no se pueden controlar. Confía en tu pareja e inspírale confianza, con el paso de los años te darás cuenta de que éste es el mejor antídoto.

CAPÍTULO TRES

Fedro Carlos Guillén

¿ADOLESCENTE? ERES UN MUTANTE DISFRÚTALO

LA RUPTURA DE LOS NOVIOS

En el amor todo ha terminado cuando uno de los amantes piensa que sería posible una ruptura.

PAUL CHARLES BOURGET

Me cortaron ¿qué hago?

"Tenemos que hablar" es una frase que todos tememos escuchar porque es el presagio de una mala noticia. En el caso de una relación es el anuncio inminente de que está a punto de irse a pique. Las razones para que alguien termine una relación contigo pueden ser muy diversas, y espero que nunca te tomen por sorpresa, ya que si no adviertes que algo iba mal es que algo andaba, en efecto, muy mal.

Que te corten puede ser muy doloroso pero también, en ocasiones, liberador. Lo primero que tienes que escuchar son los argumentos que expone tu pareja para tomar su decisión: ¿te parecen superables?

Por ejemplo, te podría decir que no confía en ti, y debes analizar si eso tiene algún fundamento. ¿Te pescó en una mentira? Pues eso no tiene remedio, y el daño está hecho. Puedes tratar de explicar por qué lo hiciste y ofrecer con sinceridad no repetirlo. Otra posible razón es que alguien le guste más que tú, y ello tampoco tiene remedio ya que la atracción no se decreta, y me apresuro a decirte que eso me parece positivo.

Un corte es un golpe emocional muy fuerte, lastima nuestros sentimientos y nuestro orgullo (en la acepción de Karr), pero si la decisión es definitiva debes aprender a respetarla y tratar de superar tu pérdida buscando refugio en las personas que quieres y te quieren.

De nada sirven los correos o los mensajes obsesivos de WhatsApp, tampoco que llames en la madrugada o que establezcas un patrón de seguimiento anónimo en redes sociales. Eso sólo produce más dolor y frustración. En realidad, el único saldo positivo que puede tener todo esto es el impulso que te lleve a mejorar tú como persona, para evitar que te vuelva a pasar. ¿Mejorar tu carácter?, ¿evitar los celos compulsivos?, ¿ser más amoroso?, ¿saber escuchar?, ¿mejorar tu desempeño académico?, ¿tomar un poco menos? Todas las anteriores son causales de una separación, y existen muchas más. Piénsalo.

El otro lado de la moneda que poco ayuda es pretender que no te importa lo que ha pasado y fingir indiferencia, ya que el único que se engaña eres tú. Recuerda que tu pareja tiene el derecho autónomo de tomar decisiones y que estas deben respetarse, por lo que tampoco te recomiendo que guardes rencor, ya que no conduce a nada y es poco provechoso. Cuando te digo que lo vas a superar lo hago porque lo sé de cierto; nuevos amigos, otras rutinas y el apoyo de los tuyos son elementos muy valiosos en el duelo asociado a una separación. Si puedes quedar como amigo de tu ex pareja sería doblemente bueno, pero esto no siempre es posible.

A lo mejor te sirve, en lugar de aislarte, salir con tus amigos, ir al cine, concentrarte en tus estudios y, en general, distraerte evitando recuerdos obsesivos, como la música que les gustaba o los lugares a los que iban.

El que quiere cortar soy yo

También pasarás por esta experiencia. Hay momentos en que una relación dejó de aportarte más de lo que te quita, y ese es un buen momento para terminar. ¿Cuáles son los indicadores de que esto ocurre? Muchísimos, pero aquí te mencionaré sólo algunos:

- Ya no disfrutas como al principio de la compañía de tu pareja
- Es demasiado posesiva y quisieras sentir más libertad y contar con más tiempo para otras actividades que te atraen
- Descubriste que hizo algo que te disgustó profundamente
- Sus valores son muy diferentes a los tuyos
- Consideras que no te quiere igual que tú a ella
- Sus padres hacen imposible la relación
- Te atrae más otra persona (se vale)
- Sólo se hace lo que tu pareja quiere y jamás lo que a ti te gustaría hacer por lo que sientes que no es parejo
- Toma demasiado y no lo controla
- Espía tu teléfono
- Te quiere separar de tus amigos
- No cumple sus compromisos
- Se queja demasiado de todo
- Descubriste que te mintió en un tema fundamental para ti

Bien, como te dije, estas son algunas de las causas que te pueden orillar a romper con tu pareja, y si analizas la lista algunas inclusive te producirían molestia y dolor. Es comprensible, y a veces es difícil controlarlo y tratar de tomar determinaciones con serenidad. Sin embargo, cuando has tomado una decisión después de pensarla cuidadosamente y no en un arrebato (decidir furioso es siempre suicida) debes plantearla con franqueza y apertura, y entender que no se trata de una negociación en una mesa de debate.

Pensar que terminas una relación sin que esta sea tu decisión sino más bien como un mecanismo de presión para obtener algún cambio en la relación es mezquino y poco cuidadoso, pero sucede con frecuencia y se corre el riesgo de que tu pareja acepte la decisión sin argumentar en contra.

Recuerda ser honesto con tu pareja y contigo mismo y por favor NUNCA utilices la frase "no eres tú, soy yo", que es la más gastada en la historia de los cortones. La siguiente página (mitad en serio mitad en broma) te da una lista de sesenta y nueve frases para terminar una relación entre las que se cuentan: *http://www.taringa.net/posts/info/1875766/69-frases-para-cortar-una-relacion.html*

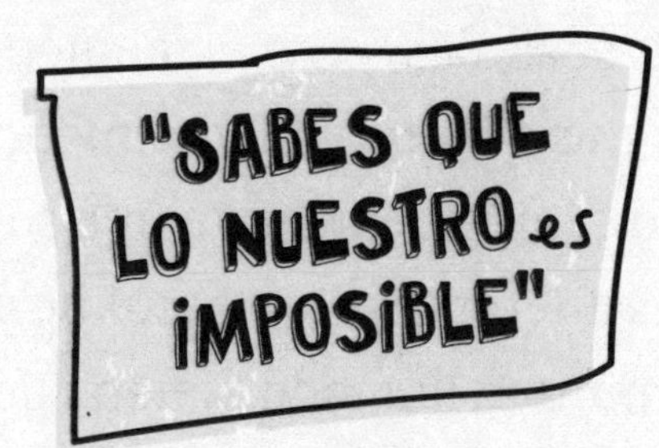

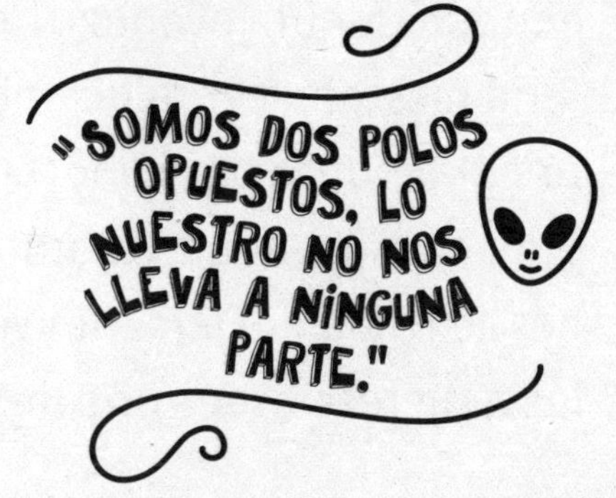

Yo quiero más y ella no (y viceversa)

En las películas que veía de niño se utilizaba una frase, "dame una prueba de tu amor", que por lo general era emitida por un jovenazo de bigotito. La "prueba" se refería a establecer relaciones sexuales, y era el momento culminante del filme. En mis tiempos, la virginidad era un tesoro sobrevalorado e injusto ya que, como sabes, la fisiología femenina es diferente a la masculina y las mujeres poseen una membrana llamada himen que se rompe durante la primera relación sexual, mientras que en los hombres no hay evidencia alguna de que se ha tenido o no algún contacto sexual. Esta diferencia acarreó costumbres que hoy considero ridículas pero que aún se mantienen en algunos lugares, en los que la madre de la novia ondea una sábana con sangre (el himen al romperse produce sangrado) para probar la "virtud" de su hija.

Hoy las cosas han cambiado; las relaciones sexuales se han normalizado y cada vez menos gente le confiere un valor al hecho de que su pareja se abstenga de tener relaciones antes de conocerlo, lo cual es sensato, ya que parecería egoísta y absurdo querer ser "el primero" o "la primera", como si ello tuviera valor alguno.

Bien, dicho lo anterior, vamos a platicar sobre las asimetrías que se generan en parejas adolescentes en las que uno de sus miembros quiere avanzar físicamente mientras que el otro tiene dudas y reticencias. Por supuesto, estoy seguro que entiendes perfectamente que las decisiones sobre el contacto físico son muy personales y nada tienen que ver con la intensidad del cariño. En realidad, se trata de orientaciones que se basan en valores e información acerca de las potenciales consecuencias de entablar relaciones sexuales.

"Despacio que voy de prisa", dicen que dijo Napoleón Bonaparte; la frase se refiere a que a veces hacer las cosas con precipitación complica todo. Eres joven y seguramente te quieres comer al mundo, traes prisa por crecer y avanzar al mundo adulto. Mi consejo es que cualquier decisión que tomes sea producto de una meditación profunda y de toda la información con la que cuentes, nunca de la prisa y la urgencia.

Si tu pareja ha optado por no avanzar más allá de cierto límite en el terreno físico debes respetarla, piensa en lo terrible que suena que alguien haga algo que no desea para mostrarte amor o cariño. Es bueno hablar las cosas y evaluar los argumentos. Por supuesto, en este libro —como seguramente ya te diste cuenta— no hay recetas ni podría haberlas; cada cabeza es un mundo, los individuos son únicos e irrepetibles y como consecuencia toman decisiones autónomas. Lo que sí te puedo recomendar es que no precipites las cosas que deben llegar en su momento; a veces la presión se vuelve una fuerza que opera en contra nuestra y puede tener efectos muy negativos, como que tu pareja se canse de la insistencia y opte por una relación en la que se sienta menos agobiada por la presión.

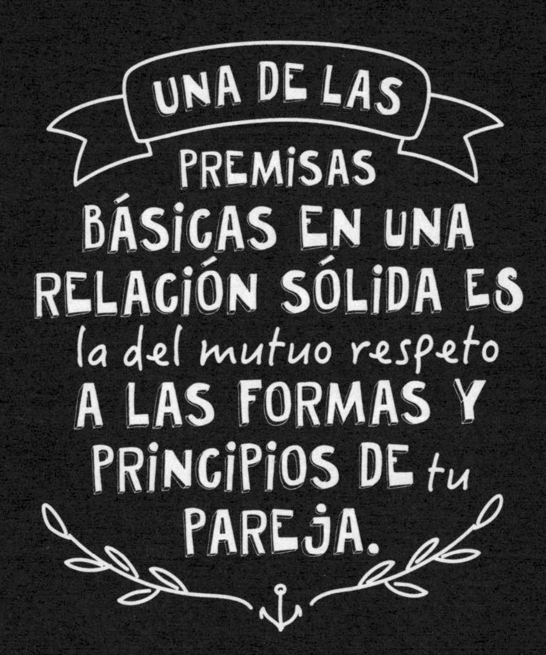

Tener relaciones no es bueno o malo en sí mismo, lo importante es que si algo se da sea en un marco de acuerdo y de consenso, con el fin de que no cause el dolor asociado a la precipitación.

CAPÍTULO CUATRO

Fedro Carlos Guillén

¿ADOLESCENTE? ERES UN MUTANTE DISFRÚTALO

EMBARAZO ADOLESCENTE

Mi despertar sexual, ¿qué hago?

Recuerdas mi foto escolar? Bien, el que se encuentra a mi derecha, se llama Luis Javier Manrique, era mi mejor amigo y ahora es piloto aviador (todos los jóvenes de mi época queríamos serlo y él lo logró). Luis Javier y yo estudiamos juntos toda la primaria y formamos esa cofradía que hoy me resulta ligeramente embarazosa, "El club de los solteros", que tenía varias normas rarísimas; la más importante, la que contaba y era profundamente idiota, es que nunca nos casaríamos.

Hoy me juzgo con menor severidad. Resulta que era perfectamente normal que no sintiéramos la menor atracción por las niñas por la sencilla razón de que no estábamos listos. Los seres humanos, a diferencia de muchísimos organismos, experimentamos un proceso llamado neotenia, que no es más que el alargamiento de la infancia con el fin de prolongar nuestro período de aprendizaje. A diferencia de otros organismos que a los 2 o 3 años están listos para reproducirse, los seres humanos necesitamos fisiológicamente mucho más tiempo para alcanzar esa etapa.

Cuando ese tiempo llega, lo hemos visto ya, entramos en una proceso de explosión hormonal que nos cambia un poco la jugada y nos hace establecer relaciones de forma diferente.

Durante muchos años se consideró a la sexualidad como algo que debía esconderse, algo turbio de lo que nadie debería hablar. No me interesan los criterios de la sociedad para explicar estas que, a mi juicio, son tonterías. Sí, en cambio, quiero comentar contigo que la sexualidad es algo hermoso y complejo, y que de acuerdo con los expertos tiene cuatro componentes o dimensiones: la reproductividad, que es la capacidad potencial de tener hijos; el género, que es la manera social que tenemos de enfocar los papeles de cada sexo ante la sexualidad; el erotismo, entendido como nuestra potencialidad de expresar placer sexual, y la vinculación afectiva, que es nuestra capacidad para desarrollar sentimientos hacia otras personas.

Todas estas experiencias están interrelacionadas y se irán expresando a lo largo de nuestra vida, aunque de maneras diferentes. Nadie, por ejemplo, está obligado a tener hijos (algunas religiones prohíben a sus sacerdotes tenerlos). Los roles sexuales se han ido modificando a lo largo de los años; la pastilla anticonceptiva significó una verdadera revolución sexual. Las formas de recibir y dar placer pueden ser muy variadas y los vínculos que establecemos pueden ser sólidos o frágiles en función de nuestras expectativas y lo que estemos dispuestos a ofrecer.

Estás en un momento maravilloso del que no debes sentirte avergonzado. Con toda seguridad tus padres hablarán contigo al respecto, y en primero de secundaria recibirás amplia información sobre el tema de la sexualidad humana. Disfruta este período, y si empiezas a sentir atracción por algún chico o chica cercano a ti, deja que las cosas corran; te apuesto que cuando tengas mi edad lo recordarás como uno de los mejores períodos de tu vida. Suerte con ello.

¿Qué pasa si no me cuido?

La decisión de cuándo tener tu primera relación sexual es profundamente personal y depende (o debería depender) de la información con la que cuentas, de sentirte preparado y de que no obedezca a un impulso, sino a una convicción. Después de todo, es algo muy importante en tu vida que puede tener consecuencias definitivas e irreversibles.

La generación que tuvo actividad sexual a principios de la década de los sesenta y hasta los años ochenta es quizá la que más libertad tuvo en el ejercicio de su sexualidad en la historia. Déjame explicarte por qué. Antes de 1960 no había píldoras anticonceptivas, y con su descubrimiento los riesgos de embarazo no deseado disminuyeron de manera drástica. Esta condición, que se considera un enorme avance para el ejercicio libre de la sexualidad femenina, se mantuvo hasta el año 1981, cuando la comunidad científica descubrió el virus del Sida. Entonces todo cambió, ya que las únicas opciones para no contraerlo son las de tener una pareja monógama que esté sana, practicar sexo seguro, utilizar material cortante o punzocortante esterilizado y recibir transfusiones sólo con sangre certificada... no hay de otra.

Si has tomado ya una decisión te invito a tomar las siguientes consideraciones acerca de las consecuencias en caso de no practicar el sexo seguro, es decir sin el uso de un condón:

- Embarazo no deseado.
- Infecciones de transmisión sexual (ITS), como gonorrea, sífilis y chancro blando.
- Virus del papiloma humano
- Virus de inmunodeficiencia humana (VIH)

En la siguiente sección abordaremos el tema de los embarazos, pero en el caso de las ITS, a pesar del descubrimiento de la penicilina, el antibiótico que se utiliza para atacarlas, las consecuencias pueden ser muy graves y producir en los recién nacidos alteraciones, ceguera e inclusive la muerte. Estas enfermedades son asintomáticas en muchos casos, lo que quiere decir que no hay evidencias visibles de que estés enfermo. Lo mismo pasa con el VIH, pero en este caso las consecuencias son infinitamente más graves, ya que no hay una cura conocida, sino medicamentos que atenúan los efectos de la enfermedad. En el caso del virus del papiloma humano, si bien se presenta en hombres y mujeres, es muchísimo más grave en el último grupo, ya que incrementa el riesgo de sufrir cáncer cervicouterino.

Has llegado a tu madurez sexual y depende sólo de ti cómo ejercerla; yo te recomiendo que sea con libertad pero con el cuidado responsable de tu pareja y de ti mismo.

LA CLAVE DE UNA VIDA SEXUAL PLENA Y SATISFACTORIA ES JUSTAMENTE PRACTICARLO DE MANERA INFORMADA. RECUERDA LAS CUATRO POTENCIALIDADES DE LA SEXUALIDAD HUMANA Y TOMA TUS DECISIONES.

Embarazos adolescentes: las consecuencias

El ser humano es una de las pocas especies del reino animal que practica el sexo con fines de comunicación y erotismo. Hay dos pruebas muy evidentes; la primera, es que personas infértiles (como mujeres menopáusicas) o parejas homosexuales, cuya relación no puede producir una fertilización, tienen relaciones sexuales; la segunda es que del total de veces que practicamos el sexo al mes, sólo 2 en promedio se pueden traducir en un embarazo. Es por ello que es relevantísimo mantener una actitud muy atenta a los riesgos de un embarazo no deseado.

De acuerdo con datos del INEGI, a nivel nacional más de 400 mil adolescentes tienen un hijo sin que su pareja varón se haga cargo; las consecuencias de esto suelen modificar de manera dramática la vida de quien ha quedado embarazada. Conozco a una persona muy cercana que se embarazó a los 16 años, tuvo una hija y a los 17 tuvo otra. Por supuesto, su vida cambió; interrumpió sus estudios y no habría salido delante de no haber contado con la ayuda de sus padres.

Los adolescentes como tú se encuentran en un proceso de desarrollo; quedan cosas qué vivir y qué aprender y este proceso puede ser interrumpido de manera muy violenta por un embarazo no deseado. Si los padres como yo (que tuve a mis hijos a los 34 y 36 años) a veces nos sentimos impreparados y confusos ¿te imaginas lo que sentirías tú ante la posibilidad de tener que criar un hijo?

Existen factores materiales que no se pueden omitir, como por ejemplo los recursos necesarios para mantener a un bebé, el tiempo necesario para su crianza en sus primeras etapas de vida, el lugar dónde se vivirá y, por supuesto, la interrupción de tus estudios y no sólo ello, sino de planes futuros como estudiar una carrera, viajar, divertirte y gozar de las enormes bondades que te brinda ser joven.

Un hijo no debería ser nunca el resultado de un "descuido" sino producto de una decisión planeada y responsable, su futuro y el tuyo dependen de ello. Existen situaciones que aumentan el riesgo de tener un embarazo no deseado. El alcohol y las drogas muchas veces inhiben nuestros mecanismos de alerta para evitar situaciones de alto riesgo y nos volvemos más vulnerables.

ASIMISMO, A VECES ENFRENTAMOS PRESIONES QUE NO PODEMOS RESOLVER COMO "SI ME QUIERES, DAME UNA PRUEBA DE AMOR" Y LA PRUEBA ES MANTENER RELACIONES SEXUALES.

Hace poco con la serie de películas de *Crepúsculo* se generó un fenómeno que me pareció aberrante. Bella se encuentra en riesgo de convertirse en vampira si es mordida por Edward, pero ella lo desea. En reacción, las adolescentes norteamericanas en una encuesta declararon que preferirían que su pareja no usara condón como una prueba de amor.

El aborto no puede verse como una medida anticonceptiva sino más bien como una decisión muy delicada que entraña un proceso muy doloroso para quien lo practica. En el Distrito Federal es legal hasta la semana 14 y es una decisión de cada quien y cada cuál, en la que el resto nos debemos reservar nuestra opinión ya que corresponde de manera exclusiva a ti, a tu pareja y a tu ámbito familiar.

¿Cómo evito algo así?

Afortunadamente existen muchos métodos para evitar embarazos no deseados, los menos confiables, debes saberlo, se llaman naturales y se basan en la abstinencia de relaciones durante el período fértil de la mujer, que va desde unos días antes hasta unos días después de la ovulación. El ritmo registra los períodos mensuales de una mujer durante un período y estima cuando hay mayor riesgo, es muy inseguro ya que estos períodos pueden ser variables. El método de la temperatura consiste en medirla diariamente por la misma vía y detectar un aumento de 0.2 a 0.4 grados centígrados correspondientes a la ovulación. Finalmente el método del moco cervical consiste en medir la presencia más abundante de esta secreción que se produce en las glándulas del cuello de la matriz. Cuando la ovulación termina es perceptible una sensación de resequedad.

Los métodos químicos se basan en el uso de sustancias químicas llamadas hormonas que se suministran en formas de pastillas, inyecciones, cremas, espumas y óvulos, o unas capsulas que se injertan por debajo de la piel. Son mucho más confiables. Dentro de este grupo se encuentran las píldoras de emergencia que no deben utilizarse como anticonceptivos debido a su alto contenido hormonal, sino más bien al tener una relación sin protección o no deseada. Se deben tomar en un tiempo máximo de 72 horas después del acto sexual.

Los métodos mecánicos son dispositivos que impiden el contacto entre el óvulo y los espermatozoides. Los más comunes son los dispositivos intrauterinos y los condones femeninos y masculinos. Finalmente los métodos permanentes son aquellos que se utilizan cuando se ha decidido no tener hijos y consisten en la ligadura de trompas en las mujeres o la vasectomía en varones. Pero estos métodos son naturales en gente mucho mayor que tú.

Elegir un método anticonceptivo es tu privilegio. Sin embargo, es muy importante la opinión de tu ginecólogo así como la de tu pareja ya que el cuidado sexual es una decisión en que la pareja debe hacerse responsable.

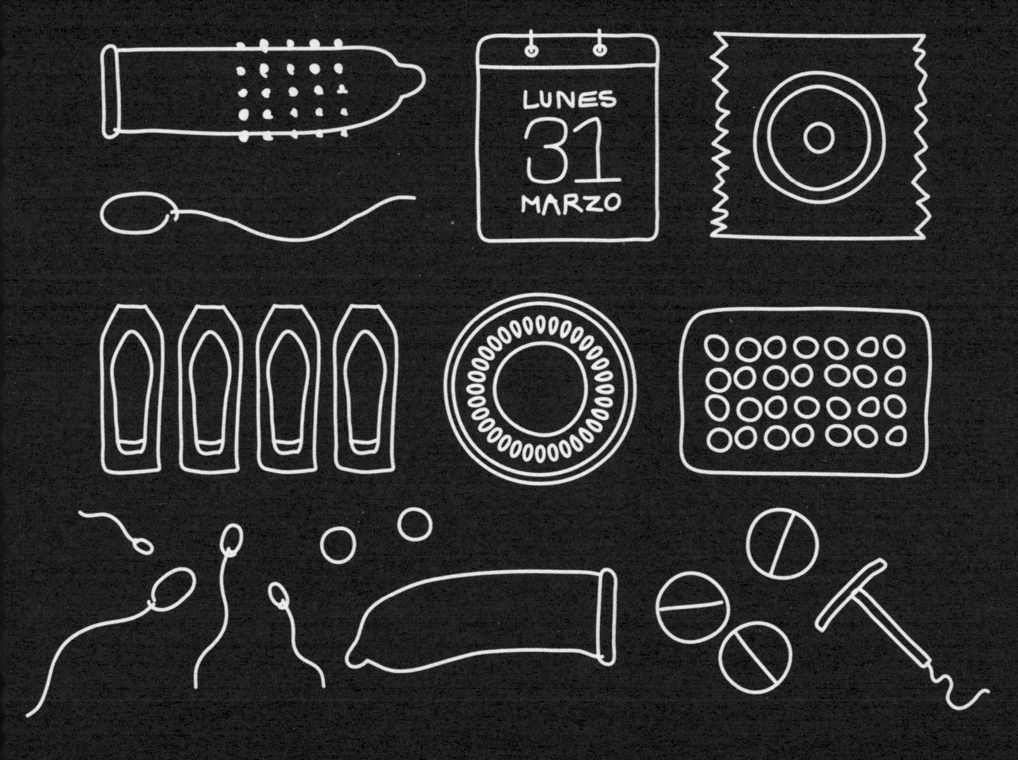

A continuación te presentamos una tabla que resume lo que te he contado:

PORCENTAJE DE EFICACIA DE MÉTODOS ANTICONCEPTIVOS DURANTE EL PRIMER AÑO DE USO

	MÉTODO	PORCENTAJE DE EFECTIVIDAD	
		USO PERFECTO	USO TÍPICO
Hormonales	Implante anticonceptivo	99.95	99.95
Hormonales	Hormonal inyectable combinado	99.95	97
Hormonales	Parche anticonceptivo	99.7	92
Hormonales	Hormonales orales (pastillas anticonceptivas diarias)	99.7	92
Hormonales	Pastillas anticonceptivas de emergencia	Sin datos	75
Barrera	DIU de cobre	99.4	99.2
Barrera	Anillo vaginal	99.7	92
Barrera	Condón masculino	98	85
Barrera	Condón femenino	95	79
Naturales	Métodos de ritmo (abstinencia periódica):		
Naturales	Metodo de calendario, solo	91	75
Naturales	Metodo del moco cervical (Billings), solo	97	75
Naturales	Método de la temperatura basal, solo	99	75
Naturales	Método combinado (moco, calendario y temperatura)	98	75
Naturales	Coito interrumpido (retiro)	96	73
	Espermicidas solos	82	71

1 Secretaría de Salud, Tabla adaptada a partir de datos publicados en: OMS Criterios Médicos.

Relaciones intrafamiliares.
Parientes muy cercanos

Marcial Maciel fue un sacerdote michoacano y fundador de Los Legionarios de Cristo, que desde 1997 fue acusado públicamente de incurrir en numerosos abusos sexuales contra menores que se encontraban bajo su tutela. La iglesia miró para otro lado y fue finalmente hasta el año 2006 que el Papa Benedicto XVI le ordenó retirarse "a una vida de oración y penitencia", un castigo tardío y tibio que, sin embargo, reconocía los excesos cometidos a lo largo de décadas. ¿Cómo lo hacía? La antropóloga María Paloma Escalante nos ofrece una pista: *Maciel argumentaba que padecía de una extraña enfermedad que los niños podían ayudar a aliviar; que se necesitaba una muestra de semen para un examen y un «ayudante» para extraérselo. Argumentos increíbles y ridículos para un adulto pensante, pero que fácilmente enganchan a un niño o a un adolescente que confía en el padre y le confiere autoridad moral, que incluso incluye hasta el poder pedirle que haga cosas que él no entiende o no le parece que sean buenas; que confía en que si el padre las dice es que deben ser buenas. Este es exactamente el tipo de confianza que deposita un hijo en su padre natural, quien le da indicaciones de hacer cosas «por su propio bien», aunque «ahora no entiende, pero ya entenderá».*

Uno de los mayores riesgos que enfrentan niños y adolescentes es el abuso sexual, que es frecuentemente practicado por personas muy cercanas al ámbito familiar, escolar o social. El abuso consiste en forzarte o convencerte de que hagas algo que no quieres hacer para darle satisfacción sexual al abusador.

El abuso lo pueden cometer mayores y menores de edad, cuando lo practican adolescentes entre los 12 y 16 años se llama estupro, y no se refiere exclusivamente a relaciones sexuales. Es abuso también el tocamiento o el que te obliguen a ver cosas que no deseas como películas, revistas o una masturbación. Normalmente el que abusa se encuentra en una posición de poder y en muchos casos el abusado, como en el caso de los niños de Maciel, ni siquiera comprende lo que está pasando y confía en su agresor. En la gran mayoría de los casos los abusadores pueden ser parientes cercanos (tíos, primos e inclusive abuelos), también maestros y compañeros mayores. Las conductas de las personas abusadas se modifican rápidamente, se presentan problemas de enojo, estrés, baja en el rendimiento escolar e inclusive autolesiones. La gente que sufre abuso frecuentemente lo calla ya que se avergüenza de ello y cree que podría ser juzgada por aceptar tal condición. Eso es simplemente absurdo, si notas algo que no te produce confianza, háblalo de inmediato, es el antídoto más efectivo para que no ocurra.

En 2010 se estrenó la película *Trust* dirigida por David Schwimmer ("Ross" el de la serie *Friends*), en la que se cuenta la historia de una adolescente que es seducida en el chat por un hombre adulto que finge ser alguien diferente. La red está llena de depredadores sexuales, es importante que tus contactos estén plenamente identificados y que evites dar datos personales si no sientes la confianza para hacerlo. Tu vida sexual la debes vivir con plenitud y respeto y no dejarte someter por gente que abusa para calmar su inseguridad y que tiene la capacidad de hacer mucho daño.

CAPÍTULO CINCO

Fedro Carlos Guillén

¿ADOLESCENTE? ERES UN MUTANTE DISFRÚTALO

Mis padres no entienden nada y no confían en mí

Lo que me preocupa no es que me hayas mentido, sino que, de ahora en adelante, ya no podré creer en ti" dijo el filósofo alemán Federico Nietzsche. ¿Qué opinas? Este es un mundo en que a veces acostumbramos a salir del paso apartándonos de la verdad, ¿por qué? Pues porque hacerlo evita asumir las consecuencias de algo que se considera incorrecto. No llevo la cuenta pero recuerdo que cuando era niño y mi madre me preguntaba, ¿te lavaste los dientes?, yo invariablemente respondía que sí, sin la menor conciencia de que la evidencia de mi fraude era un cepillo de dientes seco y las pasta sin usar.

Este es un mundo raro; mucha gente estudia durante años para convertirse en un profesionista especializado y en cambio los que somos padres tenemos que recurrir a la intuición para guiar y orientar a nuestros hijos (somos amateurs). Por supuesto, todos los padres desean que sus hijos desarrollen un principio de honestidad que les permita conducirse con rectitud a lo largo de su vida. Este es un deseo saludable. Sin embargo, esta confianza se lesiona en el momento que se advierte la primera mentira. A veces nos sorprende y decepciona descubrir que nuestros padres pueden mentir, después de todo son un modelo que nos ha parecido siempre infalible y confiable. Lo mismo pasa cuando ellos nos descubren y por supuesto sienten miedo y angustia. Cuando esto ocurre a veces su reacción inmediata es desmedida y precipitada, lo que genera tensión, frustración y enojo.

¿Por qué tus padres no te permiten ver a un amigo o amiga en particular? ¿Por qué te piden llegar a cierta hora? ¿Qué piensan que haces cuando no atiendes el celular? Seguramente crees que es porque no confían en ti y ello te parece poco justo. Es probable también que pienses que no entienden cómo son las cosas ahora, mientras ellos quieren aplicar reglas de tiempos que ya pasaron. Como en cualquier problema es necesario ponerse de acuerdo. A veces los padres creen que basta su autoridad para tomar una decisión y ello por supuesto es incorrecto. A veces piensas que son anticuados e intolerantes y ello tampoco es correcto. El secreto para solucionarlo es la comunicación.

Lo primero es que ellos te expliquen sus argumentos y que los tomes en cuenta. ¿Son razonables? Lo es, por ejemplo, que sepan dónde estás y en qué compañía, ¿no crees? Es importante también que si quieres ganar su confianza seas claro y establezcas un proceso de diálogo permanente.

La confianza de alguna manera es como un saldo bancario que se puede mantener alto si le abonamos una conducta sincera y que disminuye si sistemáticamente esquivamos la verdad. Tratar de mantener el saldo arriba es muy saludable. Cuando estés tentado a mentir piensa en lo siguiente: ¿Es necesario? ¿Por qué? ¿Cuáles son las consecuencias de que te descubran? Mentir causa tensión y a veces se convierte en una enorme bola de nieve que se precipita colina abajo. Recuerda lo que dijo Pierre Corneille en el lejanísimo siglo XVII, “hay que tener buena memoria después de haber mentido”.

Que tus padres te entiendan y confíen depende en gran parte de ti, si sientes que no hay la suficiente comprensión, habla con ellos, puede ser más fácil de lo que crees.

¿Les debo decir o no?

Es una pregunta inquietante y desgraciadamente no hay recetas para responderla. Un señor muy sabio dijo "el hombre es esclavo de sus palabras y amo de su silencio". Todos tenemos el derecho a la privacidad, a decidir qué queremos contar y qué no, ello es natural y saludable y no tiene nada en particular. A veces guardamos las cosas para nosotros y ello basta. La necesidad moderna de decirle todo a todos no es muy sensata. Un buen recuerdo, una confidencia, una sensación nueva pueden ser muy atesorables si las conservamos de manera privada. La decisión de lo que debemos platicar con nuestros padres es personal y de cada uno.

Te contaré una historia rápida; Alfred Wallace un naturalista inglés, le escribió en 1858 una carta a Charles Darwin, en la que le exponía sus ideas sobre la evolución. Cuando la recibió, Darwin casi se fue de boca; se trataba de las mismas ideas que él tenía y no se atrevía a publicar, cosa que hizo al año siguiente en su libro *El origen de las especies* en el que se presentó la teoría de la evolución. Te preguntarás, "¿y?". El punto que me interesa destacar es que Wallace envió su carta el 12 de marzo y Darwin la recibió el ¡18 de junio! Más de tres meses después ¿Te imaginas lo lentas que eran las comunicaciones?

Los tiempos modernos son diferentes, basta con que oprimas una tecla para comunicarte con alguien que está en el otro lado del mundo, ya sea por teléfono, correo electrónico o utilizando las redes sociales. Ello crea una sensación de que hay que decir algo en todo momento (piensa por ejemplo en los que ponen en tuiter cosas como: "tengo hambre"). El punto que quiero comentar contigo es que a veces es importante reflexionar sobre aquello que es para nosotros y diferenciarlo de lo que compartimos con los demás.

El problema principal en realidad no es ése, sino cuando tenemos la sensación de que tenemos algo que decirles a nuestros padres y no lo hacemos por temor a su reacción; en esos casos el secreto se vuelve una carga, algo así como llevar docenas de piedras en las bolsas. Nos produce temor y angustia. En esos momentos debes preguntarte: ¿Cuál es la razón por la que prefiero no contarlo? ¿Es penoso? ¿Qué consecuencias tendrá? Un compañero te hostiga o una compañera te hace una propuesta con la que no estás de acuerdo y te produce vergüenza. ¿Qué hacer?

Desde luego, mi primero consejo es que tengas la capacidad de resolver los problemas de manera autónoma. Sin embargo, a veces estos son muy abrumadores y es necesario reconocer que tus padres deberían estar dispuestos a ayudarte. Puedes hablar con ellos o escribirles lo que piensas y tratar de dejar claro que te gustaría que valoraran tu posición sobre cualquier reacción (como ir a la escuela y quejarse del compañero que te molesta).

Recuerda, es muy importante que reflexiones acerca de lo que debes compartir. La ayuda nunca estorba y frecuentemente nos libera de una carga demasiado pesada, que podemos evitar si mejoramos los procesos de comunicación.

Mis padres no son infalibles

Pues no, no lo son y ello es perfectamente normal, ya que no conozco a nadie que lo sea. Alguna vez, completamente distraído, olvidé un compromiso que había hecho con mi hija María cuando ella tenía más o menos tu edad. A pesar de que tomé mi auto y manejé violando todas las reglas de tránsito y de la física, llegué tarde. Su cara era una mezcla de enojo, pero sobre todo de decepción. La verdad es que me sentí muy mal.

Durante muchos años tus padres son un modelo, un ejemplo a seguir del que te sientes orgulloso. Es probable que en tu escuela se organice un "día de las profesiones", ¿recuerdas? Ése día presentabas a tu padre o a tu madre para que les platicara acerca de su profesión. Había abogados, ingenieros, profesionales técnicos, maestros y enfermeros, aunque pocos podían superar en la admiración infantil a los médicos o a los artistas (yo que estudié biología, poco podía competir con estas profesiones).

Pocas decepciones son más grandes que las que nos pueden producir nuestros padres. En la película *La caja de música*, un filme de 1989, una exitosa abogada (Jessica Lange) hija de un inmigrante húngaro (Armin Mueller-Stahl) recibe la noticia de que su padre, al que siempre había admirado, es juzgado por crímenes de guerra durante la Segunda Guerra Mundial. Ella decide defenderlo y al final se da cuenta que es culpable y queda devastada. Por supuesto es un ejemplo extremo, pero viene al caso porque muchos estudios demuestran que a cierta edad, muy parecida a la tuya, se entra en una etapa de confrontación e inclusive de rebeldía. Entre las razones que dan los expertos se cuenta justamente el descubrimiento de la infalibilidad de nuestros padres. Cuando descubres que tienen algunas fallas, que pueden mentir, que pueden no cumplir sus compromisos o que no son ese modelo ideal que habías pensado, las cosas se complican y eso te puede producir un profundo enojo y malestar. Lo anterior es normal pero requiere muchos matices para que sea tratado con cierta justicia.

Estoy seguro que sientes que no es justo que tus padres te pidan que no fumes cuando ellos lo hacen, o que evites el alcohol mientras los observas en las fiestas tomando algunas copas. Es difícil entenderlo y aunque un poco más adelante veremos algunas de las consecuencias del consumo de sustancias en esta etapa de tu vida, bastará advertir que son mucho más serias que en la vida adulta.

Todos tenemos defectos, algunos son más graves que otros y no deberían justificarse. Mi consejo es que en tu propio repertorio de valores puedas ir eligiendo de cuáles hay que apartarse y cuáles son los que deben ser abordados con cierta tolerancia. Si hay algo que te molesta acerca de tus padres habla con ellos, sé franco y claro, pero sobre todo trata de escuchar sus argumentos. Es la mejor forma de comunicarte. El escritor francés Anatole France escribió alguna vez: “Prefiero los errores del entusiasmo a la indiferencia de la sabiduría". Dicho de otra manera, sólo se equivoca el que intenta algo.

Han pasado los años y es probable que mi hija ya no recuerde la anécdota que te conté acerca de mi error, y ello se debe a que ambos aprendimos a entendernos y confiar el uno en el otro. Te deseo lo mismo.

¿En cuál de los dos confío más?

Antes, los papeles familiares estaban muy definidos, se asumía que un hogar se conformaba por un padre "proveedor" y una madre "ama de casa", que se hacía cargo del cuidado del hogar y de los muchos hijos que antes tenían los mexicanos. Hoy, afortunadamente, las cosas han cambiado y estos papeles se han modificado gracias, en gran medida, al papel emergente de las mujeres en la vida productiva, y al entendimiento de que ambos sexos tenemos derechos equivalentes. La familia moderna puede ser muy diferente, formada por padre y madre, por parejas del mismo sexo o guiada por sólo uno de los padres por casos de viudez o separación. Todo esto es normal pero dificulta realizar una generalización; sin embargo, lo más frecuente es que vivas con tu padre y tu madre y seguramente de acuerdo con tu sexo te sientes más inclinado a compartir ciertas cosas con alguno de ellos.

Los padres pueden asumir diferentes papeles en tu formación ya que no tienen la misma personalidad y es probable que tengan habilidades y saberes diferenciados. Mi padre, por ejemplo, era escritor y mi madre contadora, por lo que a la hora de las tareas él era un valioso recurso en cuestiones sociales mientras que ella ayudaba con las matemáticas (que nunca se me dieron). Te propongo un ejercicio personal; plantearé algunos temas y tú decidirás con cuál de los dos prefieres tratarlo, por supuesto existe la opción de que lo hagas con ambos ¿te parece?

TEMA	MADRE	PADRE	AMBOS
Primer noviazgo			
Mestruación			
Poluciones nocturnas			
¿Qué ponerte?			
El cigarro y el alcohol			
Alguien te molesta			
Orientación sexual			
¿Qué comer?			

Son sólo algunas sugerencias que te hago pero puedes encontrar un montón más de temas. Recuerda que es perfectamente normal que te sientas más inclinado a tratar ciertos temas con alguno de los dos.

Hay un riesgo que es necesario tomar en cuenta ya que puede producir fricciones. A veces uno de tus padres es más permisivo mientras que el otro trata de imponer normas más estrictas. Es evidente que los chavos tienden a pedir permisos o platicar de alguna falta con el miembro de la pareja "más suave". Hay que tener cuidado con esto, ya que lo que más útil te resultará —créeme— es una mezcla sensata de comprensión y límites definidos, ya que estos te darán certeza de lo que se espera de ti y evitan las confusiones que se producen cuándo no sabes qué hacer en una situación determinada. Piénsalo cuidadosamente y trata de encontrar las respuestas para cada caso.

Separación de los padres. ¿Quién tuvo la culpa?

Hace poco tiempo una diputada alemana creó una gran polémica cuando propuso que los matrimonios tuvieran un plazo prorrogable de siete años. Su argumento es que cada vez resulta más difícil establecer un compromiso de pareja que dure toda la vida. Es probable que sea verdad; la transformación de roles sociales, el acceso a mayores condiciones de equidad entre los miembros de una pareja y la aceptación de que el divorcio es una alternativa cuando las cosas no funcionan ha determinado un notable aumento en las separaciones de pareja en nuestro país. "La edad de casarse llega mucho antes que la de quererse", escribió el filósofo alemán Federico Nietzsche. Es probable, el INEGI reportó que en 2012 se registraron 99 mil 509 divorcios, en 2011 fueron 91 mil 285, y en 2010, 86 mil 042.

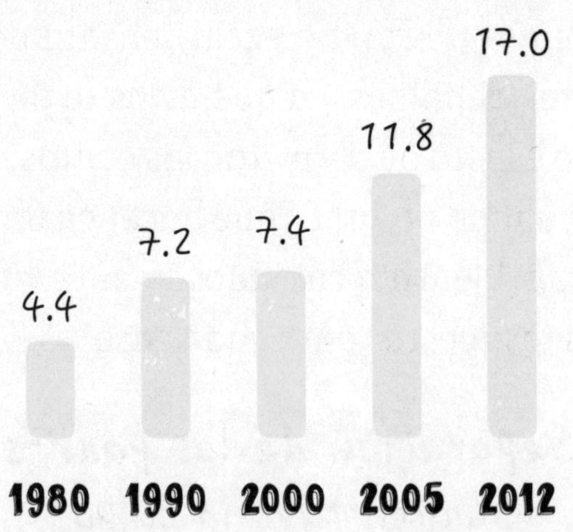

Esta es la relación de divorcios por cada 100 matrimonios, y puedes observar que la tasa se ha incrementado drásticamente. La edad promedio en que las mujeres se divorcian es 37 años, mientras que los hombres lo hacen a los 39. Entonces de acuerdo a las estadísticas la probabilidad de que te encuentres en una situación de divorcio es del 17%.

Por supuesto hay de divorcios a divorcios, algunos son amistosos y se producen porque simplemente es lo mejor, pero las parejas se siguen queriendo y respetando. Otros, en cambio son apocalípticos llenos de dolor y enojo. Cuando estos ocurren se genera una enorme confusión ya que seguramente creciste acostumbrado a pensar que siempre estarían juntos tus padres. El enfoque para tratar de entender mejor todo es preguntarse por las causas que lo han generado, que pueden ser multifactoriales, a veces el exceso de trabajo o de alcohol, en otras ocasiones la rutina que todo lo desgasta, inclusive que alguno de los dos se haya enamorado de un tercero, por lo que resulta muy importante que puedas platicar con los dos de manera franca y abierta ya que los cambios que se producirán pueden ser muy importantes. Debes recordar que tus padres son personas adultas que deberían estar capacitadas para tomar decisiones tratando siempre de entender qué es lo que más les conviene y procurando evitar los efectos negativos que se pueden ver reflejados en tu desempeño.

Es probable que alguno de los dos o los dos consigan una nueva pareja y en estos casos te puedes enfrentar a un dilema, ya que seguramente siempre estarás a favor de tu padre o madre biológica. Bien, ese dilema es falso, tus padres nunca dejarán de serlo pero debes reconocer el derecho que tienen a rehacer sus vidas con otra persona que te puede parecer simpática o no. No existe ninguna obligación para con ella más que mantener un código de respeto mutuo.

¿A quién le tocan?

Antes se decía que cuando una pareja se separaba el control masculino era por medio del dinero y el femenino por medio de los hijos. Hoy las cosas ya no son así y normalmente los padres separados convienen cosas como los gastos y las diversas obligaciones que se reparten entre ambos con respecto a sus hijos. Es un tema delicado ya que el "reparto" implica la división del tiempo, y frecuentemente se realiza sin la sensibilidad necesaria hacia las necesidades de los hijos.

"Reparto" es un término que me chirria un poco en el oído ya que invariablemente lo asocio con bienes materiales y no con personas. Sin embargo, en muchos procesos de separación, aduciendo razones prácticas, se llega a acuerdos que implican personas a las que no se les consulta ni se les pide opinión. "Te tocan los fines de semana" o "me los traes antes de las 6" son frases comunes en este tipo de acuerdos, que ciertamente no reflejan una gran sensibilidad.

Tomar decisiones con respecto a los hijos en un proceso de separación debería partir de acuerdos razonados en los que debes ser tomado en cuenta; ¿dónde vivir?, ¿con quién hay mayor compatibilidad?, ¿en qué lugar hay mejores condiciones de espacio?, ¿habrá separación de hermanos?

Es muy importante definir todas estas preguntas de tal manera que ante un problema como el de la separación se puedan minimizar los daños colaterales de un proceso que sin duda es doloroso. La página española "Psicodiagnosis" nos ofrece algunas pistas:

Es fundamental que los padres sepan desvincular sus problemas como adultos (procesos judiciales, régimen de custodia, etc.) de las necesidades de sus hijos ante una separación. Es decir, independientemente de nuestras diferencias personales, hemos de ser capaces de consensuar un proyecto educativo común. Los niños deben percibir complicidad y compromiso incondicional de sus progenitores hacia ellos aunque ya no vivan juntos.

Una de las peores situaciones que se puede producir es que uno de los padres intente manipular al hijo en contra del otro (hablarle mal, culpabilizar a la otra parte, crear incertidumbres, etc.). También que alguno de ellos (quizás con mayor poder adquisitivo) le colme de regalos o juguetes para ganar su afecto. El afecto de los hijos sólo se gana dedicándoles tiempo, comprensión y afecto incondicional, nunca con bienes materiales exclusivamente.

Evidentemente deberemos evitar cualquier discusión delante de ellos y crear más angustia. No obstante, desde el mismo momento de la separación deberemos hablar con nuestros hijos y enfatizar especialmente aquello que nos une más que lo que nos separa. Explicar (adecuándolo a su edad) la decisión tomada y que, en todo caso, ellos van a seguir disponiendo incondicionalmente de sus padres. Que es mucho lo que les une y seguirá uniendo. Evitar excesivos detalles de las causas de la misma. Procurar también que los hijos no se sientan en una u otra medida culpables de la situación.

http://www.psicodiagnosis.es/areageneral/hijos-ante-separacion-o-divorcio-padres/index.php

NO CAER EN EL ERROR DE UTILIZAR AL NIÑO COMO **MENSAJERO O ESPÍA** DE LO QUE SUCEDE EN CASA DEL OTRO PROGENITOR.

Mis padres no se quieren y yo lo pago

Hace unas semanas fui invitado a la casa de descanso de unos amigos, que a su vez invitaron a otra pareja amiga suya, que llegó con un par de hijos adolescentes. Desde el momento que la pareja llegó percibí una relación tensa y poco armoniosa. Para expresarlo claro, discutían por todo; la comida, el juego de mesa que jugamos o la mejor película. Yo observaba a los hijos (de aproximadamente 13 y 15 años) ensimismados por completo en sus celulares, mudos y absortos. En los dos días que estuve con ellos no pronunciaron prácticamente una sola palabra y se notaba su hastío en el momento que su padres iniciaban un alegato. Fue muy triste.

"LA PRIMERA IMPRESIÓN ES LA QUE CUENTA" dicen por ahí, dos personas que se acaban de conocer normalmente ofrecen su mejor presentación; son conciliadores, cuidan lo que dicen y tratan de agradar al otro. El tiempo, desgraciadamente erosiona esta fachada social y normalmente en una pareja que lleva ya algunos años junta surgen aristas y falta de acuerdos que si no se canalizan adecuadamente generan una escalada de violencia que a veces es de mucho desgaste.

sin embargo, hay parejas que se empecinan en mantenerse juntas a pesar de sus diferencias y estas tienen un efecto en el resto de la familia que suele ser devastador.

Todos los especialistas coinciden en que los padres suelen ser figuras ejemplares para sus hijos y que estos tenderán a recrear el ambiente en el que se desarrollaron. Dicho de otra manera, si se crece en un ambiente de abierta hostilidad es probable que desarrolles cierta aceptación a tales conductas y las percibas como algo "normal".

Es frecuente pensar que tus padres son tus amigos; no es así, ya que la relación que mantienen está mediada por una enorme diferencia de edad y experiencias. Sin embargo, las relaciones tienen que estar mediadas por un diálogo en el que seas escuchado. Si percibes que la relación entre tus padres es hostil evita en principio tomar un partido hasta que entiendas bien las causas de la diferencia y, lo más importante, habla con ellos, explícales lo incómoda que es la situación y la necesidad de que se busque una salida a una circunstancias tan problemática; algunas de las preguntas que te sugiero son las siguientes:

1. ¿Por qué pelean?
2. ¿Han pensado en acudir a una terapia? ¿Son conscientes que esa situación de hostilidad te afecta?
3. ¿Consideran la separación como una mejor salida?

Es posible que en algunos casos la causa de la violencia sea claramente responsabilidad de uno de los miembros de la pareja y es probable también que decidas respaldarlo, está bien. Sin embargo, debes recordar que hay que buscar soluciones de fondo ya que a veces esa hostilidad te alcanza y seguramente te lastima. No olvides que en este, como en todos los casos, el chiste es hablar, dialogar y entender las causas de un problema con el fin de que no afecte tu proceso de desarrollo.

¿Por quién tomar partido?

Una de las preguntas más tontas que se le puede formular a alguien es: "¿A quién quieres más?, ¿a tu padre o a tu madre? La respuesta invariable es "a los dos igual". Nuevamente enfrentamos las reducciones simplistas de algunas fórmulas sociales que carecen de sentido. El cariño es un asunto muy complejo y cargado de emociones que, además, evolucionan el tiempo.

Vivimos en una sociedad que se orienta cada vez más por determinaciones que nos obligan a tomar alternativas. Un equipo de futbol, un partido político, creer o no creer en Dios son sólo algunos ejemplos. No se nos ha acostumbrado a tomar posiciones analizando caso por caso, por lo que en muchas ocasiones nuestras respuestas son carentes de algún proceso analítico. La radicalización de posturas nunca es buena. Piensa por ejemplo en un par de leyes que se aprobaron en el Distrito Federal; la despenalización del aborto y la aprobación de matrimonios entre personas del mismo sexo. De inmediato surgen voces a favor y otras en contra, que polarizan y a veces violentan la discusión. Sobre el tema te daré mi opinión personal. Creo que las personas que por sus valores personales se oponen tienen todo el derecho a no recurrir a estas leyes ya que esa es su convicción. Creo también que el aborto no es un proceso anticonceptivo sino una situación muy dolorosa para los padres que recurren a ella por diversos motivos que deben ser tomados en cuenta, como el no estar preparados o simplemente no desear tener hijos. Lo mismo pienso de las uniones entre parejas del mismo sexo; entiendo perfectamente que es una opción para muchas personas que se aman y que desean compartir el resto de su vida como lo hace la comunidad heterosexual, y me parece natural que se les permita. Mi análisis no parte mas que de una serie de valores de respeto guiados por la máxima: “vive y deja vivir”.

El cariño es también diferenciado sin que necesariamente deba ser medido, ya que afortunadamente no existen "unidades" de cariño. Los indicadores indirectos que tenemos son más subjetivos; las ganas de estar con alguien y lo que se le extraña cuando no está presente. Por otro lado es perfectamente normal que nuestros cariños sean diferenciados y no se vean en la necesidad de competir; queremos a las personas porque nos unen intereses y valores compartidos, porque cuando estamos en su compañía nos sentimos bien.

Yo quiero a mis amigos del dominó; es divertido pasar la tarde jugando y contando historias. A mis hijos los quiero de una forma diferente y, dado que tienen personalidades que no se parecen, nuestra relación no es exactamente la misma. Con mi hija me gusta hablar de libros y cuestiones sociales y mi hijo tiene un pensamiento más racional y matemático. Es por ello que la relación no puede ser la misma, pero la intensidad de mi amor hacia los dos no es comparable.

Piénsalo, no estás obligado a optar, ése es un último recurso que en el caso del cariño es inaceptable. Tampoco debes competir por el cariño de alguien haciendo concesiones a lo que en realidad te gustaría hacer. La diversidad de personas, opiniones y alternativas que encontrarás a lo largo de tu vida determinarán que seguramente elijas un círculo de afecto en el que puedas recibir y dar cariño... que de eso se trata la cosa.

**¿ADOLESCENTE?
ERES UN MUTANTE
DISFRÚTALO**

LOS HERMANOS

¿Qué onda con mis hermanos?

La demografía es la ciencia que estudia las poblaciones, ¿te suena aburrido? No lo es, gracias a la demografía es que podemos saber cómo cambiamos en el tiempo.

Nuestros abuelos, si no tenían ocho hermanos, eran una familia anómala. Parecería que para nuestros ancestros más era mejor. Las cosas han cambiado y la demografía lo demuestra. Una familia promedio en este país cuenta con una madre un padre y dos hijos. Bien, analicemos este cambio.

Dado que asumí que eres el hermano mayor o menor, entiendo perfectamente ambas condiciones. Después de todo soy el hijo de en medio de una familia en la que cuento con dos hermanas. Los mayores tienden a pensar que no entiendes nada, que eres un lastre, una carga. Los menores tratan de integrarse a un mundo que les es vedado. Como siempre, la solución a este problema es negociar. Te voy a poner varios ejemplos en los que te voy a pedir que decidas qué harías.

a) Se puso mi ropa	
b) Entró a mi cuarto	
c) Me acusó con mis papás	
d) Agarró mi celular	
e) Puso una foto en el Face que detesto	

Bien, pon un cero a "no hacer nada" y diez a "estoy furioso"; ¿ya contaste?, ¿qué concluyes?

Con los hermanos nos une un vínculo ineludible, para bien o para mal, comparten en promedio la mitad de nuestros genes y convivimos con ellos una buena parte de nuestra vida. No los elegimos pero sería una gran idea considerarlos nuestros amigos, después de todo poca gente nos conoce mejor.

Por supuesto este es un consejo a ciegas, no te conozco pero entiendo que si estás en una condición similar a la que describo pocas cosas son mejores que el cariño de tus hermanos.

Existe una historia bíblica, la de Caín y Abel, ¿la conoces? Se trata de dos hermanos muy unidos que eventualmente terminaron odiándose, ¿has oído hablar de historias similares? Hermanos que no se hablan, tíos que no se frecuentan. Seguramente hay razones, pero tu primer asidero siempre es la familia, si no te funciona, adelante, pero si encuentras ahí un espacio para compartir problemas, frustraciones, angustias o proyectos es la mejor idea.

Es frecuente que no lo entiendas, que no te puedas explicar su terquedad o la forma en que toma malas decisiones. Así como recurrirías a tu hermano en un caso extremo, debes pensar en la ayuda que le puedes ofrecer en una situación problemática. No es mi intención forzar las cosas, me hago cargo de que a veces puede ser desesperante, pero te invito a pensar acerca de la importancia de valorar opiniones de alguien que nos conoce más que pocas personas y que seguramente quiere ayudar.

Mi consejo es simple, valora la opinión de quien más te conoce, y si no la compartes explícalo.

Mi hermano es mejor que yo

Los padres a veces cometemos torpezas que provienen de la buena intención, pensar que los hijos deben ser iguales y cortados con la misma tijera es simplemente absurdo. La diversidad es algo que debe ser bienvenido. Mi amigo Félix tiene cuatro hermanos: Fátima, Paulina, Pablo y Federico; todos ellos tienen profesiones diferentes y son muy listos, han publicado muchos libros de temas como la comunicación, la política, la psicología y la geografía ya que a ello se dedican. Félix Fernández tomó otra ruta y fue portero profesional de futbol, retirándose con el Atlante en el año 2003. Lo anterior no quiere decir que no sea igual de listo que sus hermanos (lo es, y ahora es periodista) pero su historia nos habla de la diversidad de una familia en que las bases han sido sólidamente construidas.

"No se debe tratar igual a los desiguales", es una frase que debemos pensar con cierta profundidad. Si bien es cierto que a los hijos hay que tratarlos con las mismas reglas y expectativas también lo es que al considerar sus diferencias los enfoques deben ser flexibles y variados. Si alguno quiere hacer deporte (como Félix) hay que estimularlo y si otro prefiere no hacerlo pues que así sea.

Mi hija practicó competitivamente el bádminton durante algunos años, mi hijo inició pero luego declinó... por supuesto no pasó nada, ya que él está más interesado en libros técnicos y en los misterios (para mí impenetrables de la física). Sin embargo, durante los torneos descubrí a padres psicópatas que claramente querían que sus hijos hicieran lo mismo que ellos lograron o que nunca pudieron hacer. Fui testigo de un hombre jalando violentamente a su hijo porque había perdido un partido y me quedé muy triste de ver que tales cosas ocurrieran.

A VECES LOS PADRES COMETEMOS EL ERROR DE MOSTRAR MÁS CERCANÍA CON EL HIJO QUE TIENE INTERESES MÁS AFINES A LOS NUESTROS Y ELLO PRODUCE UNA SENSACIÓN DE DESPLAZAMIENTO Y POCA VALORACIÓN PARA EL HERMANO O LOS HERMANOS RESTANTES. NO CONOZCO UNA FRASE MÁS IDIOTA Y POCO CONSTRUCTIVA QUE: "¿POR QUÉ NO ERES COMO TU HERMANO?"

Pues porque no, porque tienes intereses diferentes, pasiones diferentes y un estilo diferente. Si tienes esa sensación de que algo no está equilibrado en la relación de tus padres hacia tu hermano y hacia ti debes hablar. Recuerda, no se trata de pedir el mismo trato, sino un trato adecuado para cada uno de los dos. Si a tu hermano le regalan un microscopio y tú no estás interesado en las ciencias, sería absurdo que pidieras uno igual ¿verdad?

Comparar es dividir y siempre resulta un poco odioso. Los mexicanos tenemos un alma basada en el nacionalismo y las comparaciones, que si somos alegres, que nuestros platillos son los mejores, nuestro himno el más bello y cosas por el estilo que son simplemente intrascendentes y a nadie deberían importarle. Compararte con tu hermano o hermana es igual de improductivo ya que, estoy seguro, hallarás, como es perfectamente natural, que habrá cosas en las que te vaya mejor y otras en las que te irá peor que él o ella. Recuerda el capítulo anterior y procura comunicarte con tu hermano y con tus padres de la mejor manera para evitar una posible sensación devaluatoria.

CAPÍTULO SIETE

Fedro Carlos Guillén

¿ADOLESCENTE? ERES UN MUTANTE DISFRÚTALO

DECISIONES PERSONALES

El consumo de alcohol
El riesgo de ser diferente

Llegas a tu casa y prendes la televisión, buscas tu serie favorita y te enfrentas a anuncios en los cuales se nos indica que si usas unos tenis y caminas 10 metros bajarás 15 kilos. Cremas que te dejan la cara como pista de patinaje en hielo y fajas que tienen la propiedad de desaparecer la grasa o por lo menos comprimirla. De pronto entra un anuncio de algún licor, invariablemente la escena es la misma; un grupo de jóvenes muy jóvenes, y sobre todo muy guapos y "trendy" (como dicen ahora algunas mentes que considero vacías), bailan en una pista divertidísimos y llenos de energía. Se aprecia la botella de la bebida anunciada y se establece un efecto de causalidad (si tomas › te diviertes) y uno se queda con la idea de que si no corre por un vaso de ron algo anda mal en la vida.

Somos una sociedad estandarizada, ¿recuerdas la campana de promedios que te presenté páginas atrás? En ella se demuestra que el grueso de cualquier población se agrupa con mayor frecuencia en un promedio y los extremos son menos frecuentes y más raros. Ocurre con el peso, la estatura, con la edad de la aparición de los caracteres sexuales secundarios y a veces... con nuestras preferencias.

En la naturaleza existe un proceso adaptativo llamado "mimetismo" a través del cual algunos organismos han evolucionado de una manera muy peculiar para evitar ser depredados. Algunas culebras no venenosas llamadas "falsa coralillo" imitan los patrones de bandas de color de las muy venenosas coralillo para confundir a sus atacantes. Algunas mariposas desarrollan grandes manchas en sus alas que aparentan ser ojos de aves, e insectos como los fásmidos tienen un parecido sorprendente con los troncos en los que habitan.

A veces nos pasa algo similar, para no ser diferentes tratamos de imitar las conductas de una mayoría ya que pensamos que de no hacerlo sufriremos algunas consecuencias, como la falta de integración a un grupo o de plano bullyng.

Los adolescentes inician en promedio el consumo de alcohol a los 12 años, algunos de forma compulsiva y otros de manera moderada. Por supuesto hay quienes no se interesan en probarlo y están en todo su derecho, ya que seguramente han estudiado algunas de las consecuencias en su desarrollo que revisaremos más adelante. Ése es el momento de la presión; los que más beben, a veces para no ser juzgados porque "todos hacen lo mismo", y otras por reglas absurdas como la de que para que alguien pertenezca a un grupo debe seguir las costumbres de sus miembros, te presionan para que bebas aunque no tengas deseos de hacerlo.

PIÉNSALO ¿REALMENTE VALE LA PENA UN AMIGO QUE QUIERE FORZARTE A HACER ALGO QUE NO QUIERES HACER?

¿Crees que eres menos atractivo si te rehúsas a tomar un trago? Si es así creo que hay un problema, ya que me sugiere un patrón de inseguridad en tu conducta. Cualquier decisión que tomes debe ser motivada por un análisis y la convicción de que quieres hacerlo. No por factores externos como la aceptación social. Puedes pensar que el alcohol es divertido pero el exceso en su consumo trae consecuencias muy graves que revisaremos en la siguiente sección.

¿Qué pasa con mi desarrollo y el alcohol?

De acuerdo con la Encuesta Nacional de Adicciones 2008, los jóvenes entre 12 y 17 años presentan mayores prevalencias en los niveles considerados como "bebedores altos" y con "abuso/dependencia" por cada 100 jóvenes en el mismo grupo de edad. El Distrito Federal y Zacatecas son los estados con mayor prevalencia de consumidores diarios (0.6); por su parte la mayor prevalencia en bebedores altos se presenta en el Distrito Federal (16.4), 14 estados se encuentran por arriba de la prevalencia nacional que es de 9; San Luis Potosí, tiene la mayor prevalencia de bebedores consuetudinarios y de abuso/dependencia (4.5 y 6.9, respectivamente); hay nueve estados que presentan prevalencias superiores a 2.9 que es la nacional de jóvenes con abuso/dependencia al alcohol.

Como puedes advertir en estas estadísticas cuyo resumen nacional te presentamos más abajo existe un consumo de alcohol muy preocupante entre menores de edad. Ya hemos hablado del mimetismo, del tratar de ser aceptados en un grupo y seguir sus reglas. Sin embargo, hay consecuencias entre las que se cuenta el riesgo de accidentes mortales, el deterioro del rendimiento escolar, el aislamiento social y la afectación a procesos de desarrollo.

ESTÁS EN UNA EDAD EN LA QUE SE INICIAN LAS FIESTAS Y EN ELLAS ES CADA VEZ MÁS FRECUENTE QUE ESTALLEN PELEAS ASOCIADAS AL CONSUMO Y QUE VEAS A TUS AMIGOS CONFUSOS Y DESORIENTADOS HACIENDO "OSOS" QUE LUEGO SON MATERIA DE BURLA EN FACEBOOK.

La edad legal para tomar alcohol en nuestro país es de 18 años, valdría la pena preguntarse por qué; después de todo, una regla deber ser explicada más que acatarse ciegamente. La razón de

RELEVANCIA DE CONSUMO DE ALCOHOL EN LA POBLACIÓN DE 12 A 17 AÑOS POR ENTIDAD SEGÚN NIVEL DE CONSUMO

2008 — POR CADA 100 HABITANTES

Entidad federativa	Consumo diario	Bebedores altos	Consitu-dinarios	Dependencia
Nacional	0.2	0.9	1.5	2.9
Aguascalientes	0.5	14.7	2.4	4.3
Baja California	-	6.3	1.8	0.5
Baja California Sur	0.2	5.1	1.6	2.0
Campeche	0.1	8.7	1.3	2.3
Coahuila de Zaragoza	-	6.9	2.7	2.9
Colima	-	8.9	0.9	0.9
Chiapas	-	2.5	0.2	1.7
Chihuahua	-	9.2	2.8	2.6
Distrito Federal	0.6	16.4	3.4	6.5
Durango	-	10.9	1.5	2.0
Guanajuato	0.2	10.2	1.1	0.7
Guerrero	-	1.7	-	1.6
Hidalgo	0.3	15.6	3.1	5.3
Jalisco	0.3	11.4	0.6	1.9
México	0.2	10.1	1.8	3.3
Michoacan	0.1	13.5	3.0	5.1
Morelos	-	14.4	2.3	3.9
Nayarit	0.1	12.9	2.4	3.6
Nuevo León	-	4.5	0.8	2.1
Oaxaca	0.4	3.6	1.0	1.6
Puebla	-	7.9	0.7	2.1
Queretaro	0.1	10.9	2.4	5.8
Quintana Roo	-	7.5	0.9	2.5
San Luis Potosi	0.3	12.8	4.5	6.9
Sinaloa	-	6.7	1.3	2.1
Sonora	-	7.1	1.0	0.9
Tabasco	0.3	8.3	1.3	1.8
Tamaulipas	-	6.7	0.8	2.6
Tlaxcala	0.5	10.7	2.0	4.0
Veracruz	-	5.8	0.6	2.9
Yucatán	-	11.1	0.3	0.6
Zacatecas	0.6	9.0	1.0	2.5

esta norma es simple; diversos estudios científicos han demostrado que el consumo de bebidas alcohólicas en la adolescencia interfiere y compromete tu proceso de desarrollo. El cerebro de un adolescente no es el mismo de un adulto y cuando hay consumo se comprometen procesos cognitivos futuros como la planeación, la integración de información, la resolución de problemas, el discernimiento y el razonamiento. El consumo afecta áreas cerebrales que se vinculan con el aprendizaje y la memoria, por lo tanto tus capacidades para resolver problemas y la creación de recuerdos.

Piénsalo por, favor.

Cuando las cosas se salen de control

"Seis de cada diez jóvenes mueren en accidentes automovilísticos en los que está de por medio el consumo de alcohol, aseguró ayer la directora general del Instituto Mexicano de la Juventud (IMJ), Priscila Vera Hernández, quien resaltó que mientras el consumo de bebidas embriagantes en este grupo de la población va a la alza, la edad en la cual se adentran por primera vez al alcohol y al cigarro, va a la baja".

"En el contexto de su participación en el foro que sobre "tribus urbanas" organizó la Comisión de Población y Desarrollo de la Asamblea Legislativa del Distrito Federal, la funcionaria detalló que con base en una encuesta que aplicaron a nivel nacional, la edad promedio en que los jóvenes empiezan a consumir alcohol es a los 15 años, "y lo lamentable es que hay 33 por ciento de jóvenes que consumen más de 10 copas de alcohol por semana, lo que revela que están abusando de las bebidas embriagantes".

La Comisión de Accidentes de Transporte (TAC por sus siglas en inglés) es una institución australiana que trata de prevenir y evitar accidentes y para ello ha recurrido a una estrategia muy agresiva de medios subiendo a la red cortos asociados a las consecuencias viales del consumo de alcohol. Si bien las escenas son impresionantes y muy fuertes es porque ése es su objetivo; alertar de manera muy dramática lo que pasa cuando tomas de más. Te presento la liga para uno de estos videos pero debo advertirte que son escenas realmente muy fuertes por lo que si no te sientes preparado para verlo te sugiero no lo hagas.

http://www.youtube.com/watch?v=48CQaaNKerg

Una segunda consecuencia del consumo del alcohol en la adolescencia es el de prácticas sexuales poco seguras. Tú no estás para saberlo pero escribo novelas, en la última relato el caso de Martina, la hija adolescente del protagonista que se encuentra confusa y desorientada por la muerte prematura de su madre. Su padre también se encuentra muy abatido y le presta poca atención por lo que ella se refugia en el alcohol y una noche durante una fiesta mantiene relaciones sexuales con un chico de su escuela y queda embarazada, situación que cambia su vida y las de los que la rodean.

El alcohol puede causar...

- HABLA CONFUSA
- SOMNOLENCIA
- VÓMITOS
- DIARREA
- MOLESTIAS ESTOMACALES
- DOLORES DE CABEZA
- DIFICULTADES RESPIRATORIAS
- DISTORSIONES VISUALES Y AUDITIVAS
- CAPACIDAD DE JUICIO DETERIORADO
- DISMINUYE LA PERCEPCIÓN Y LA COORDINACIÓN
- PÉRDIDA DEL CONOCIMIENTO
- ANEMIA (PÉRDIDA DE GLÓBULOS ROJOS)
- COMA

¿Es divertido el alcohol?

Lo primero que habría que definir es lo que entendemos por "divertido", ya que la acepción de este término puede variar en cada persona. Alguna vez un amigo muy querido se fue de vacaciones con su familia a Europa y decidió que era buena idea hacer una sesión para enseñarnos las fotos de su viaje. En la foto 456 y la décima consecutiva de la Torre Eiffel sentí que me desnucaba por un proceso de narcolepsia... no fue divertido.

En el caso del consumo de alcohol ya revisamos cómo todos los anuncios de bebidas de este tipo proyectan una imagen de gente feliz y alegre, muy diferente a la del video que te presenté en la sección anterior. En efecto es probable que el consumo moderado te genere cierta sensación de euforia y diversión, de hecho se ha demostrado que si se bebe vino o cerveza con moderación (dos copas al día) se pueden prevenir infartos. "La dosis es el veneno", dice un viejo refrán que usan los químicos. En efecto, productos que en dosis muy bajas son inofensivos se convierten en altamente tóxicos e inclusive mortales si aumenta la cantidad que ingerimos (un cigarro, por ejemplo, contiene arsénico, que es uno de los venenos más potentes).

Col el alcohol pasa un poco lo mismo; se puede pasar una tarde agradable en compañía de tus amigos si tomas con moderación y sin una necesidad compulsiva de hacerlo con más frecuencia entre trago y trago.

Las cosas se modifican cuando llegan los excesos; un borracho que terquea no es nada divertido; repite las cosas, te dice que te quiere o que te odia, algunos se vuelven hostiles y otros acosan a miembros del sexo opuesto. Las consecuencias de tales conductas pueden pasar de una cruda moral cuando alguien nos recuerda lo que hicimos hasta ruptura de amistades que eran importantes para nosotros.

Déjame enseñarte un video en el que estudiantes de la Secundaria Técnica número 61 alertan sobre el consumo de alcohol a través de una representación, y en el que claramente se advierte acerca de los potenciales problemas asociados a su consumo excesivo.

http://www.youtube.com/watch?v=13t0iw_W1Xg

¿Has tenido experiencias negativas y cercanas asociadas al consumo excesivo de alcohol? Te voy a invitar a que uses este libro como un diario y describas una de ellas en el espacio siguiente:

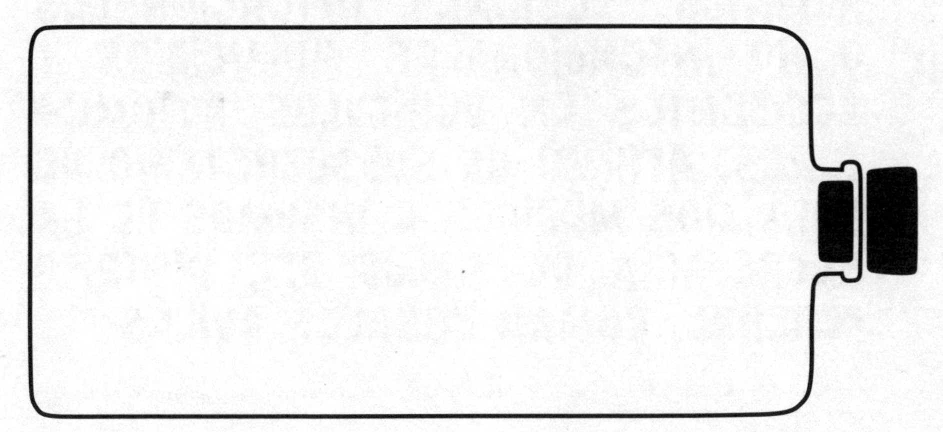

¿Verdad que no fue divertido?

Algunas estadísticas

Vamos a revisar algunos datos asociados al consumo de alcohol entre adolescentes de 12 y 17 años. He tomado los datos de diferentes fuentes que podrás encontrar con la información en extenso en las ligas que te ofrezco a pie de página.

EL ALCOHOLISMO EN ADOLESCENTES Y JÓVENES SE ESTÁ CONVIRTIENDO EN UN PROBLEMA DE SALUD PÚBLICA, AL UBICARSE COMO LA CUARTA CAUSA DE MORTALIDAD EN MÉXICO CON 8.4 POR CIENTO, AL RELACIONARSE DE MANERA DIRECTA CON MUERTE POR CIRROSIS HEPÁTICA, LESIONES INTENCIONALES O NO INTENCIONALES, HOMICIDIOS Y ACCIDENTES EN VEHÍCULOS AUTOMOTORES, AFIRMÓ EL SUBSECRETARIO DE SERVICIOS MÉDICOS E INSUMOS DE LA SECRETARÍA DE SALUD DEL DISTRITO FEDERAL, ROMÁN ROSALES AVILÉS.[6]

6 http://www.jornada.unam.mx/ultimas/2013/11/26/alcoholismo-en-jovenes-es-la-cuarta-causa-de-mortalidad-en-mexico-con-8-4-ssa-2645.html

24.8 % de jóvenes de entre 12 y 17 años consumían alcohol en el año 2000. Esta cifra creció al 28.8 % en el año 2012.[7]

Se consideran dependientes del alcohol 6.2 % adolescentes varones y 2.0 % de adolescentes mujeres siendo el promedio 4.1 %[8]

Las causas por la que los adolescentes declaran que se inician en la bebida son las siguientes:

- Formar parte de un grupo de amigos.
- Divertirse más y sentirse bien.
- El gusto que se tiene por determinada bebida.
- La posibilidad de desinhibirse y "quitarse la vergüenza", lo que les permite hacer cosas que de otra manera no harían.[9]

El 55.5% de los adolescentes iniciaron el consumo de alcohol antes de los 17 años.

14 mil adolescentes mueren al año en accidentes automovilísticos por consumo de alcohol. Es la principal causa de muerte en ese sector de la población.

El primer consumo de alcohol es ofrecido con más frecuencia por familiares que por extraños.[10]

El Distrito Federal es la entidad en la que mayor número de jóvenes asegura haber tomado bebidas alcohólicas alguna vez. Mientras que el nivel de consumo de bebidas alcohólicas es más elevado en estados del norte del país.

7 http://ensanut.insp.mx/doctos/analiticos/ConsumoAlcohol.pdf
8 http://encuestas.insp.mx/ena/ena2011/factsheet_alcohol25oct.pdf
9 http://www.psicologiacientifica.com/prevalencia-consumo-alcohol-adolescentes/
10 http://diario.mx/Nacional/2013-11-05_241e8d16/adolescentes-mexicanos-en-las-garras-del-alcoholismo/
11 http://www.imjuventud.gob.mx/pagina.php?pag_id=304

(Baja California, Baja California Sur, Chihuahua, Sonora y Tamaulipas), donde 6 de cada 10 jóvenes reporta consumo en el mes previo.[11]
El nivel de escolaridad y el entorno urbano son factores que se asocian de forma positiva con una ingesta de bebidas alcohólicas en los 30 días previos. Esto significa que los jóvenes de mayor edad, con más altos niveles de escolaridad y que viven en entorno urbano presentan mayores índices de consumo de alcohol.[12]

El consumo de tabaco y las drogas. Lo "cool" de un cigarro

Estoy escribiendo esto frente a una cajetilla de cigarros en la que en la parte superior se aprecia la fotografía de una rata muerta y una leyenda con letras amarillas:

No me gusta esta campaña, me parece confusa y torpe ya que no me queda claro si las ratas fuman y si lo hacen, mueren, pero francamente no sé qué tenga que ver una cosa con la otra. La torpeza radica en una es-

12 http://www.imjuventud.gob.mx/pagina.php?pag_id=304

trategia equivocada; se debe informar más que asustar a cualquier persona para que tome las decisiones que más le convengan. Como te habrás dado cuenta, en este libro no me propongo decirte qué hacer, sino brindarte elementos para que tomes decisiones en compañía de los tuyos. Toca el turno al cigarro... veamos.

¿Lo reconoces? Probablemente no, porque es un actor norteamericano de la primera mitad del siglo XX, se llamaba Humphrey Bogart y realizó películas inolvidables como "Casablanca" o "El Halcón Maltés"... siempre fumando. Antes, en las películas, en las series, en las reuniones, en los aviones y en ¡los hospitales! Con el paso de los años y los avances científicos se descubrió que el cigarro contiene una enorme cantidad de sustancias que dañan nuestra salud, y su venta y distribución se reguló.

Difícilmente alguien que fuma ignora las consecuencias de su hábito y desde luego es una decisión voluntaria que debe partir de una base informada, sin embargo, lo que me interesa platicar contigo son las razones para iniciar a fumar, que en muchos casos son simplemente absurdas.

Cuando empecé a fumar, tuve que hacer un esfuerzo extraordinario para vencer la náusea que me provocaban las inhalaciones. ¿Por qué —una pregunta obvia— habría que hacer algo así? Simple, por imitación, por pertenecer a un grupo y porque tenía la vaga e ingenua idea de que al hacerlo sería más atractivo para mis amigas de esa época. Había algo asociado a ser "duro" y "*cool*" lo cuál, por supuesto, hoy descubro, muchos años después, que era completamente idiota. Un cigarro en la mano en alguien de 13 años puede tener serias consecuencias; como te he dicho, este no es un libro de lecciones morales sino de información que te pueda ser útil para la toma de decisiones. El escritor español Javier Marías es un firme defensor del derecho a fumar y da ejemplos de soldados esperando la batalla o escritores que calman su ansiedad fumando. Puede ser, las razones son múltiples, lo que me queda claro es que si tu decisión es por integrarte a un grupo o parecer mayor de lo que eres tendrás que entender que ello es absurdo y que la aceptación social no depende de que eches humo por la boca con mucho estilo.

¿De dónde vienen las drogas?

Seguramente has sido testigo a través de las noticias de que en este país se libra una batalla contra las drogas, en la que se han invertido miles de millones de pesos y que ha generado un saldo de muerte simplemente escalofriante. Las opiniones se dividen; hay quienes sostienen que es necesario incrementar esta lucha ya que es el camino correcto y otros argumentan que las drogas no son un problema de salud pública, como sí lo es el consumo legal de tabaco y alcohol, y que se deberían legalizar con fines recreativos como ocurre en Portugal, Uruguay y algunas zonas de los Estados Unidos. El debate está abierto y es interesante, ya que muchos se preguntan, por ejemplo, acerca de las razones de regular sustancias como la mariguana que causa menos problemas de salud que el tabaco y el alcohol. En la siguiente página encontrarás información muy interesante acerca de mitos y realidades sobre el consumo de drogas que seguramente te será útil 🌐 *http://proyectojusticia.org/index.php/infografias/169-regulacion-de-la-mariguana-cierto-o-falso*

Las drogas se consumen desde tiempos muy antiguos; se ha encontrado evidencia asociada al consumo de adormidera desde la edad de piedra (un opiá-

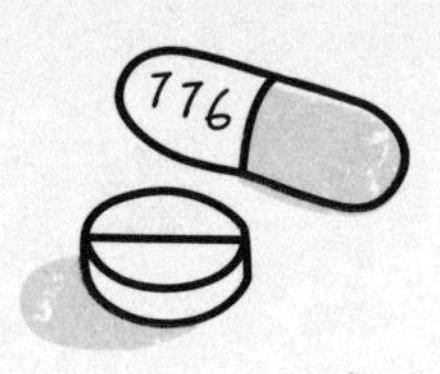

ceo del que se deriva el opio) en Europa, hace 4,000 años. En México se introdujo por los españoles y se le dio el nombre de amapola y se empezó a usar con fines medicinales; de hecho Sigmund Freud, el padre del psicoanálisis, era adicto a la cocaína y la recetaba a sus pacientes con fines medicinales.

Existen diversos tipos de drogas, algunas provienen de fuentes naturales como la mariguana, otros como la cocaína, son semisintéticas ya que se procesan químicamente; prácticamente todas las publicaciones reconocen al alcohol, el tabaco y la cafeína como drogas. En el artículo “Development of a Rational Scale to Assess the Harm of Drugs of Potential Misuse”, publicado en 2007 en *The Lancet,* se jerarquizó una serie de drogas en función de su potencial de daño al usuario. Esta es la lista:

1. Heroína
2. Cocaína
3. Barbitúricos
4. **ALCOHOL**
5. Ketamina
6. Benzodiacepinas
7. Anfetamina
8. **TABACO**
9. Buprenorfina
10. **CANNABIS (MARIGUANA)**
11. Solventes
12. LSD
13. Ritalina
14. Esteroides anabólicos
15. GHB
16. Éxtasis
17. Khat

Las drogas son consumidas en todo el mundo, y en algunos casos pueden ser muy adictivas, causando efectos secundarios muy graves. Mi consejo personal, al igual que con el alcohol y el tabaco, es que las evites. Frecuentemente el narco se filtra entre los jóvenes y les obsequia droga con el fin de generar una adicción y debes saber que cualquier sustancia a la que seas adicto representa un grave peligro para ti.

Decisiones personales

...En la vida, todo es cuestión de suerte: cualquier mañana, uno da vuelta en una esquina y se encuentra con aquella persona que lo hará infeliz durante los siguientes seis años de su vida. Si uno hubiese dado vuelta hacia el otro lado, tal vez se habría topado con la persona que lo haría feliz.

Philip Roth

¿Estás de acuerdo? Yo no y te explicaré por qué; tenemos la tendencia a culpar al destino o a la suerte de nuestro futuro. Desde luego no puedo negar que el azar juega un cierto papel en nuestras vidas, sin embargo, es la toma de decisiones personales la que determina de manera significativa nuestro futuro. Hace un par de años una turista alemana en Brasil perdió el avión que la llevaba de regreso a casa. El aeroplano se partió a la mitad sobre el Océano Atlántico, todos los pasajeros perdieron la vida. A las dos semanas del accidente ya en Alemania, esta mujer falleció en un accidente de tráfico y escuché decir a un amigo: "Ya le tocaba". ¿En serio?, ¿le tocaba? No lo creo, de hecho no creo en el destino ya que sería muy aburrido que no pudiéramos influir en el cauce que tome nuestra vida. Todos debemos tomar decisiones, algunas son más relevantes que otras pero siempre deben basarse en información precisa, sentido común y un análisis de costo-beneficio.

A tu edad te enfrentas a una serie de preguntas sobre las que tienes que tomar decisiones personales muy relevantes. Nuevamente te pediré que utilices este libro como un diario y escribas lo que opinas acerca de las siguientes decisiones que son inminentes en tu vida.

SITUACIÓN	¿CUENTAS CON INFORMACIÓN?	DECISIÓN
Establecimiento de relaciones sexuales		
Consumo de alcohol		
Fumar		
Utilizar drogas		
¿Qué quieres estudiar?		
Tu orientación sexual		

Como puedes ver, todas estas preguntas son de enorme relevancia para tu vida y debes tener perfectamente clara una posición sobre ellas. Prácticamente en todas ellas las decisiones que tomes tienen un carácter irreversible que puede definir tu vida.

Resultaría muy triste que al final dijeras "pues simplemente pasó" o, como dicen las tías ancianas (todos tenemos una) "por algo ocurren las cosas". Pues no, las "cosas" ocurren en función de las decisiones informadas que tomemos. Cuando hemos analizado con cuidado un problema las soluciones suelen ser más sencillas. Guillermo de Ockham un pensador del siglo XIV expresó que "en igualdad de condiciones, la explicación más sencilla suele ser la correcta". Traducido al español ,lo que esto quiere decir es que evitemos complejizar nuestra realidad sobrecargándola de prejuicios y deseos de ser aceptado (que son variables irrelevantes).

Algunas estadísticas[13]

La edad crítica de inicio para el consumo diario del tabaco es entre los 15 y 17 años. Durante 2010, en México, los hogares que más gastan en tabaco son las de menores ingresos (decil I, 0.42 %).

13 Todas las estadísticas puedes consultarlas en: http://www.inegi.org.mx/inegi/contenidos/espanol/prensa/Contenidos/estadisticas/2005/tabaco05.pdf

DISTRIBUCIÓN PORCENTUAL DE LA POBLACIÓN FUMADORA SEGÚN LA EDAD DE INICIO COMO FUMADOR DIARIO PARA CADA SEXO 2009

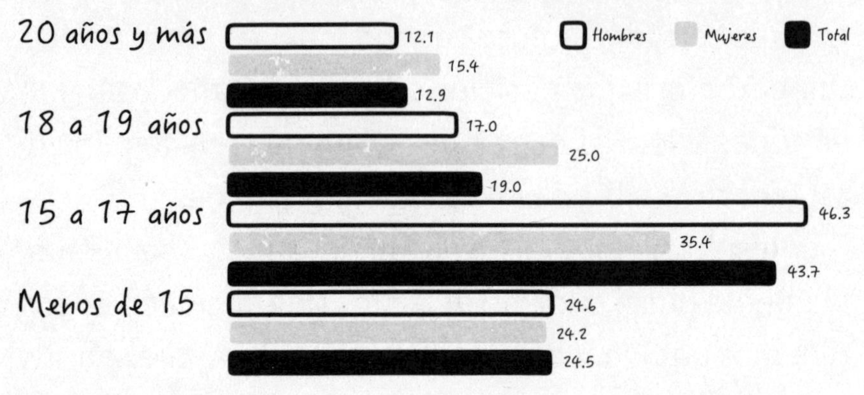

Fuente: OPS, INSP (2009). Encuesta Global de Tabaquismo en Adultos, México 2009. México: INSP

Entre la población de 15 años y más, en 2009, una de cada tres fumadores es mujer. En 2010, la principal causa de ingreso hospitalario es la ruptura prematura de membranas (20.4 %. Las enfermedades isquémicas del corazón, enfermedades relacionadas con el tabaquismo, fueron la principal causa de mortalidad en nuestro país en 2010, (44.9% en hombres y 42.0% en mujeres). En México, anualmente se producen 43.7 billones de cigarros; la empresa Phillip Morris Internacional (en nuestro país, su nombre es Philip Morris México, bajo el control de Grupo Carso y que posee una de las marcas de mayor consumo, Marlboro) refiere que en 2010 realizó un gasto de 393 millones de dólares en mercadotecnia y ventas a nivel internacional (Philip Morris Internacional) y que su ingreso neto, sólo en Latinoamérica y Canadá, fue de 2 mil 874 millones de dólares.

PRINCIPALES CAUSAS DE EGRESO HOSPITALARIO EN LA POBLACIÓN DE 15 AÑOS Y MÁS POR ENFERMEDADES RELACIONADAS CON EL TABAQUISMO SEGÚN GRUPOS DE EDAD

2010 | **POR CADA 100 MIL HABITANTES**

ENFERMEDADES RELACIONADAS CON EL TABAQUISMO	CIE-10	15-19	20-29	30-39	40-49	50-59	60-69	70-79	80 Y MÁS
Tumores malignos de:									
Bronquios y pulmón	C34	0.21	0.50	1.23	3.86	12.08	30.82	55.14	48.77
Problemas del aparato reproductor									
Ruptura prematura de membranas	042	245.60	331.88	150.44	14.79	0.36	N/A	N/A	N/A
Placenta previa	044	7.20	27.39	29.89	3.69	0.06	N/A	N/A	N/A
Sistema cardiovascular									
Enfermedades isquémicas del corazón	120-125	0.57	2.18	7.78	35.50	141.97	320.93	513.00	567.69
Enfermedades cerebro vasculares (EVC)	160-169	2.26	5.29	9.97	27.23	79.00	197.53	495.28	933.61
Patología pulmonar									
Neumonía	J12-J18	10.47	13.66	18.83	27.65	51.84	111.23	280.59	757.12
EPOC(Enfermedad Pulmonar Obstructiva Crónica)	J40-J44	1.38	2.14	4.12	11.22	42.52	132.79	415.40	952.45
Patología Gástrica									
Úlcera péptica	K25	0.32	0.57	0.95	2.04	4.59	10.13	24.46	44.56

Nota: Clasificación Estadistica Internacional de Enfermedades y Problemas Relacionados con la Salud, CIE-10
NA No aplicable
Fuente: SSA (2012). Base de datos de egressos hospitalarios 2010. México: SSA.

Revisa estos datos con el debido cuidado, piensa en las consecuencias de salud y también las económicas asociadas al consumo del tabaco. Si fumas una cajetilla al día (además de los riesgos) gastarás casi 17 mil pesos al año, mucha lana, ¿no?

El bullyng. ¿Divertido mientras no sea yo?

La siguiente es una nota de Blanca Valadez, publicada en el periódico *Milenio* el 25 de mayo de 2014, que me causó profunda tristeza: *México ocupa el primer lugar internacional de casos de bullying en educación básica ya que afecta a 18 millones 781 mil 875 alumnos de primaria y secundaria tanto públicas como privadas, de acuerdo con un estudio de la Organización para la Cooperación y el Desarrollo Económicos (OCDE). El análisis efectuado por la OCDE entre los países miembros reporta que 40.24 por ciento de los estudiantes declaró haber sido víctima de acoso; 25.35 por ciento haber recibido insultos y amenazas; 17 por ciento ha sido golpeado y 44.47 por ciento dijo haber atravesado por algún episodio de violencia verbal, psicológica, física y ahora a través de las redes sociales.*

El bullying se ha convertido en un severo problema ya que, conforme a la Comisión Nacional de los Derechos Humanos (CNDH), el número de menores afectados aumentó en los últimos dos años 10 por ciento, al grado de que siete de cada diez han sido víctimas de violencia.

Investigaciones del Instituto Politécnico Nacional y de la Universidad Nacional Autónoma de México detallan que de los 26 millones 12 mil 816 estudiantes de los niveles preescolar, primaria y secundaria, alrededor de 60 y 70 por ciento ha sufrido bullying y, aun cuando se carece de registros certeros, la ausencia de políticas para prevenir la violencia y el acoso escolar han derivado en bajo rendimiento, deserción, así como en un incremento de suicidio.

Se estima, conforme a estadísticas oficiales del Secretaría de Salud, que al año fallecen 59 mil 562 personas, de las cuales 20 mil 643 corresponden a homicidios; 14 mil 343 a accidentes de tránsito; 4 mil 972 a suicidios; dos mil 315 por caídas; mil 842 por ahogamiento; 548 por quemaduras; mil 43 por envenenamiento y 13 mil 856 por causas diversas sin especificar. De igual manera establece que 59 por ciento de los suicidios por razones diversas, incluidas el acoso físico, psicológico y ahora cibernético entre estudiantes, se concentra en nueve entidades: Es-

tado de México, Jalisco, Distrito Federal, Veracruz, Guanajuato, Chihuahua, Nuevo León, Puebla, Tabasco.

¿Qué opinas? La verdad es que dado que no soy un estudioso del tema trataré de usar mi escaso sentido común: ¿De veras crees o entiendes a alguien que crea que es divertido humillar a alguien? Hasta aquí no te he dicho nada que no sea evidente, quizá valga la pena, en cambio, que reflexiones que no basta cuestionar el bullyng sino hay que tomar una defensa activa de la víctima, ya que es objeto de mucho sufrimiento que nada tiene de divertido. Si para evitar ser el objeto de las burlas y el acoso celebras el que tus compañeros inflingen sobre alguien más te conviertes en un cómplice activo. Las personas que ejercen el bullyng se consideran "populares" y en realidad son abusadores que se valen de su fortaleza para lastimar a los demás. Es tu deber y el de todos nosotros señalarlo y sancionar esas conductas que tanto dolor causan.

Replicando conductas

La siguiente es una gráfica elaborada para un estudio del Instituto Politécnico Nacional en un estudio sobre el bullyng. Como puedes apreciar, los suicidios son la tercera causa de muerte en estudiantes de preescolar, primaria y secundaria. El dato es gravísimo ya que las víctimas sufren de varias secuelas como la baja en la autoestima y el rendimiento escolar, ansiedad, lesiones, pérdida de peso y conflictos emocionales que pueden llevar al suicidio. Las personas más afectadas en nuestro país son los discapacitados, aquellos que tienen un problema físico y los que son obesos o tienen la piel más morena que el resto.

DECESOS ANUALES

Alrededor de 60% de los estudiantes de educacion básica han sufrido de *bullying*.

Homicidios	20,643
Accidentes de tránsito	14,343
Suicidio	4,972
Caídas	2,315
Ahogamientos	1842
Envenenamientos	1,043
Quemaduras	548
Causas diversas	3,856

9 ENTIDADES CONCENTRAN 59% DE LOS SUICIDIOS

EDOMEX
JALISCO
DF
VERACRUZ
GUANAJUATO
CHIHUAHUA
NUEVO LEÓN
PUEBLA
TABASCO

Los casos de suicidio en niños de 10 a13 años están aumentando

VIOLENCIA ESCOLAR

59,562 alumnos en México 60% ha sido victima de bullying

Fuente: IPN

Lo anterior me parece atroz, ¿a ti no? Pero, piensa un poco sobre cómo se origina esta conducta. Hace no mucho tiempo los conductores de un programa británico llamado *Top Gear* se burlaron de un auto mexicano y usaron términos plagados de estereotipos como “tacos”, "sombrero" y "mole". Se armó la gorda y el mismísimo Embajador de México en el Reino Unido pidió una explicación a la BBC. Nadie reparó que en nuestra televisión nacional constantemente se hace mofa y se ridiculiza a la gente obesa, de origen indígena o con preferencias sexuales diferentes, ¿por qué? Porque a algunos sectores de nuestra población les parece "gracioso". Piensa por ejemplo en "Sammy", el personaje disléxico que aparece con Eugenio Derbez y que fue objeto de una broma pesadísima que generó que la Comisión de Derechos Humanos del Distrito Federal enviara una carta a los productores ,Rubén y Santiago Galindo, para exhortarlos a tomar un curso en contra de la discriminación.

Durante el Mundial de futbol de 2014 se inició una polémica debido a la costumbre de los aficionados mexicanos de gritarle "putooo" al portero del equipo contrario. A muchos nos pareció que era incorrecto pero casi imposible de regular. Días más tarde después de la derrota con Holanda, la línea aérea de ese país KLM publicó una broma acerca de nuestra eliminación que provocó una virulenta respuesta de gente muy conocida, como el actor Gael García Bernal.

Los anteriores son ejemplos negativos que celebramos cuando los cometemos pero nos agravian cuando ocurren en sentido contrario. Se ha demostrado que las personas que practican bullyng provienen mayoritariamente de hogares en los que se practica alguna forma de violencia. Es momento de atacar este problema y no acostumbrarnos a conductas tan humillantes y absurdas, ¿no crees?

¿Defender es exponerse?

Uno de los atenuantes que prácticamente todos los sistemas legales del mundo han previsto es el de la "legítima defensa", que preserva el derecho que tienen las personas a defenderse cuando alguien los ataca y los pone en una situación de riesgo. Seguramente has leído en las noticias que hombres armados en vehículos de transporte público han matado a sus agresores, que los amenazaban con algún tipo de arma, y no van a prisión por ello ya que se estaban defendiendo.

Hará cosa de un año un amigo mío llamó mi atención sobre un video que apareció en you tube y se volvió viral, se trataba de Casey Haines, un adolescente australiano con problemas de obesidad que era constantemente molestado y golpeado en la escuela a la que asistía. El video, que no dura más de 40 segundos muestra a un joven de menor estatura que sin ninguna provocación por parte de Casey lo golpea hasta en cinco ocasiones sin respuesta. Se nota que es azuzado por sus amigos, un grupo que molestaba al chico durante semanas. Sin embargo, después de la última agresión Casey finalmente pierde los estribos, carga a su agresor y lo estrella contra el piso de manera muy violenta. En su propio testimonio, la ira que guardaba durante años de abuso estalló y produjo que se defendiera.

De inmediato Casey se convirtió en una especie de héroe global, una persona que ha sido molestada toda su vida y que inclusive tuvo tendencias suicidas se defiende y le da una lección al grupo que se divierte atacándolo. En esta liga puedes ver el reportaje de la televisión australiana sobre Casey, así como entrevistas a su hermana y a su padre, que lo apoyan de manera muy sensata: Es importante que escuches el testimonio de su padre que dice no tener idea de lo mucho que sufría su hijo.

http://www.youtube.com/watch?v=f8jMp1Vklx4

El caso de Casey ilustra lo mucho que tienen que pasar las personas que son objeto de bullyng y entonces la pregunta es: ¿se deben defender? Cuando veas el video te costará trabajo no simpatizar con este chico; no es violento, es una buena persona y sólo por el hecho de tener sobrepeso y nunca defenderse ha sido molestado durante años. ¿Es legítimo defenderse? Mi opinión personal es que la violencia debe ser el último recurso pero a veces, como en el caso de Casey, no parece haber otra alternativa.

Existen muchos indicadores de que alguien es objeto de bullyng y los adultos y amigos deberían estar atentos a estos indicadores. Las autoridades escolares tienen que estar informadas y suprimir y sancionar estas conductas. Las víctimas deberían hablar con sus padres y a veces no lo hacen por temor a represalias. Esto no está bien, ya que es la única manera de evitar que pase algo más grave, como las tendencias suicidas o que alguien salga realmente lastimado (en el caso del agresor del joven australiano fue un milagro que no sufriera lesiones más severas).

NO DEBES PERMITIR QUE NADIE ABUSE DE TI Y SI ES NECESARIO Y EN UNA SITUACIÓN EXTREMA TIENES TODO EL DERECHO A DEFENDERTE PERO RECUERDA QUE ES MÁS SENSATO ANTICIPAR ESTAS CONDUCTAS QUE REACCIONAR SOBRE LA MARCHA.

Actuando en manada

En 2014, durante un partido en Morelia, muchos aficionados molestos por la derrota del equipo local invadieron la cancha del estadio con el fin de causar destrozos, los encargados de seguridad trataron de intervenir pero eran minoría y fueron brutalmente golpeados, uno de ellos es rodeado por cuatro o cinco personas que lo patean despiadadamente hasta que llegan los refuerzos de seguridad y se dan a la fuga.

Prácticamente todos los sociólogos que analizan la conducta humana han documentado un fenómeno; el comportamiento del ser humano es diferente cuando se encuentra en grupo que cuando está solo. La gente se vuelve hostil, violenta y hay numerosos casos en los que gente perfectamente normal se suma a acciones de pillaje porque el resto lo está haciendo, como sucedió en La Paz, Baja California Sur, durante la pasada tormenta tropical de septiembre de 2014.

¿Por qué ocurre esto? Es evidente que hay una situación de impunidad asociada al grupo que se disuelve en el momento que estamos solos. Sin embargo, el hecho de que un grupo domine a un individuo o a otro grupo por el hecho de ser más numeroso es simplemente la ley de la selva. Algo así como un grupo de leones que jamás se enfrentarían en solitario ante un búfalo de agua.

Los adolescentes son miméticos, esto quiere decir que tratan de imitar el entorno que los rodea, la moda o los gadgets son los mejores ejemplos. Lo mismo ocurre con el hábito de tomar alcohol o el de fumar cigarros. Si la gente que consideramos "popular" genera una conducta el resto tiende a imitarla cansinamente sin detenerse a reflexionar sobre el asunto.

El riesgo del bullyng es justamente ese, las personas que lo sufren normalmente están solas y son vulnerables, mientras que sus agresores lo hacen en grupo y escudados en esa mayoría actúan de manera muy cobarde. Un primer antídoto es entender que no es posible que admiremos a alguien que obtiene placer y diversión en causar sufrimiento. Si esto es así algo anda muy mal y muy torcido. Por el contrario, el acoso debe ser reprochado y denunciado y es importante aislar a los agresores y hacerles ver con claridad que su conducta no es aceptable.

Los que practican el acoso son idiotas que no conocen límites, ¿te parece sensato imitar tales conductas? A mí no. El siguiente gráfico indica los lugares donde se produce más frecuentemente el hostigamiento.

Te invito cariñosamente a que lo pegues junto con tus amigos y amigas en las paredes de tu escuela

EL BAÑO ES DONDE SE REGISTRAN MÁS AGRESIONES EN SECUNDARIA

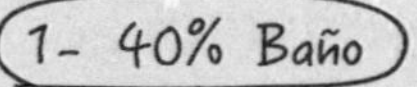

1- 40% Baño
2- 19% Salón sin maestro
3- 17% Recreo con maestro
4- 9% Camino a la escuela
5- 7% Camino a casa
6- 4% Recreo sin mestro
7- 4% Salón con maestro

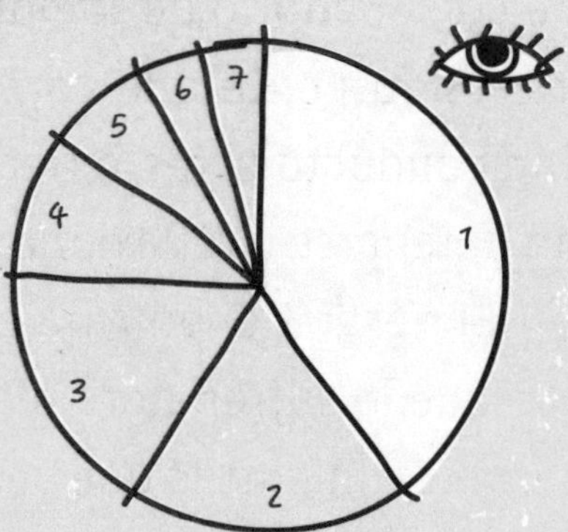

Las redes sociales. ¿Para qué sirven y para qué no?

Hará cosa de cinco años me fui a comer con mi amigo, el periodista Mario Campos, con el que hacía una sección de ciencia en el programa de radio que él conducía por las mañanas en el IMER. La plática fluyó y el me preguntó por mi resistencia al uso de redes sociales, le respondí que probablemente se trataba de un prejuicio pero no me animaba, ya que tenía la sensación de que era algo intrascendente y tonto. Para variar me equivoqué, y hoy soy un activo tuitero (me pue-

des hallar en @fedroguillen) y encontrarás un poco de esta historia que te cuento en esta página de you tube *http://www.youtube.com/watch?v=IBKjPjX2lGA*

Estoy convencido de que las redes sociales son un instrumento, una plataforma que utilizamos con lucidez desigual. Al igual que un aparato telefónico no es responsable de lo que se diga al usarlo, Tuiter o Facebook tampoco son responsables de las formas en que se utilizan. Una de las primeras ventajas del uso de redes sociales, señaladamente tuiter, es que hacen horizontal la comunicación. Si te das cuenta, los políticos y las personas conocidas de una forma medio absurda como "famosos" prefieren el uso de redes sociales para comunicar sus ideas y pueden interactuar por gente como tú y yo. Al mismo tiempo se pueden recibir noticias en tiempo real, lo cual es una segunda ventaja. Finalmente, las redes sociales te permiten conocer o reencontrar personas que de una forma convencional jamás se hubieran cruzado en tu camino.

Hasta ahí todo bien, pero como todo en esta vida hay riesgos y anomalías; es común que las redes sociales, en este caso señaladamente Facebook, se utilicen para lastimar y agredir a los demás de manera anónima. Como sabes perfectamente, existen troles que se dedican a ajusticiar al que se ponga en su camino, guiados por una mala entraña que da miedo. Otro riesgo es el de las noticias falsas, que vuelan sin ser desmentidas hasta que alguien descubre que no son verdaderas. Cuando entré a tuiter fui el testigo de la historia de un niño que se había subido a un globo y volaba sin rumbo, la noticia era escalofriante y cuando finalmente el globo aterrizó y todos nos quedamos en vilo tratando de saber del paradero del infante... el globo estaba vacío y el niño se hallaba en un granero, jugando a varios cientos kilómetros de distancia.

El último riesgo, del que ya platicamos, es el de los depredadores sexuales; gente miserable que finge ser alguien diferente, aproximadamente de tu edad, y se convierte en tu "amigo" o "amiga" y empieza a envolverte hasta que logra obtener fotografías e inclusive una cita que puede ser peligrosísima. Mi consejo es que cada que interactúes con alguien te cerciores de que en efecto es la persona que dice ser y si algo te hace sentir incómodo bloquees de inmediato a esta persona y la denuncies. Las redes sociales pertenecen a un mundo virtual, que si bien es eficaz y veloz no sustituyen al mundo real. Nada como tener amigos en el mundo 1.0 y no a cientos de miles de seguidores que no conoces y que en muchos casos te buscan esperando que tú también los sigas en reciprocidad.

¿Y las fotos?

En la entrega de los Óscar de 2014 se hizo uno de los anuncios más caros de la historia sin que los ingenuos televidentes nos percatáramos. La conductora de la ceremonia, Ellen Degeneres, portaba un teléfono celular y en algún momento se tomó un selfie con varias estrellas de Hollywood, a cambio de millones de dólares de la empresa fabricante del aparato.

GEORGE ORWELL FUE UN NOVELISTA QUE SE HIZO FAMOSO CON SU NOVELA 1984, EN LA QUE GENERA EL CONCEPTO DEL GRAN HERMANO O BIG BROTHER, UN VIGILANTE QUE TODO LO VE.

El libro se publicó en 1949, poco antes de la muerte del escritor inglés por lo que él nunca pudo ser testigo de la sociedad celular de la que formamos parte.

La evolución del teléfono como un aparato que simplemente se utilizaba para comunicarse con otras personas hacia usos más sofisticados como el navegador o las miles de apps que se generan cada día es notable. Es común observar en un restaurante a un grupo de personas que en lugar de entablar comunicación con los que tienen enfrente se fijan obsesivamente en su celular para chatear, ver noticias o postear algo. De esa manera se genera la paradoja de que el equipo aleje a los distantes y distancie a los presentes.

Desde mi punto de vista es una perversión que la gente se dedique a tomar fotos de todo y a la menor provocación. Personalmente no me gusta mucho que me tomen fotos y lo hago sólo cuando es necesario. Esta manía de dejar constancia de todo lo que pasa para luego compartirlo con desconocidos no es lo mío. Sin embargo, esto es irrelevante, lo realmente importante es que entiendas que el uso de aparato debe ser razonable y sensato.

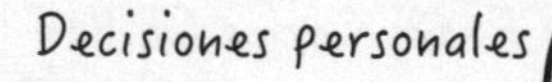

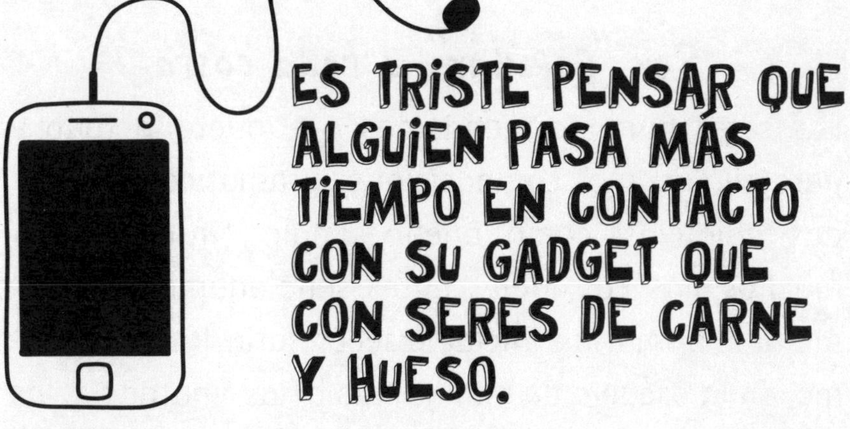

Tomar fotografías de manera compulsiva atenta, en muchos casos, contra la privacidad de las personas. De hecho algunos noticieros televisivos y medios periodísticos le piden a sus seguidores que les envíen fotografías que consideren "interesantes". Ello nos convierte en una especie de "reporteros" que todo lo ven y lo capturan, nomás que sin un salario.

Te presento a Robert Cornelius con la primera selfie de la historia, tomada en 1839, con el fin de que veas que las conductas humanas se mueven a veces muy poco en el tiempo.

la primer selfie

Ser "popular" a toda costa

Los seres humanos tendemos a etiquetarlo todo y para ello usamos composiciones gramaticales llamadas "adjetivos", como "bueno", "malo", "inteligente" y muchos más. Los adolescentes, señaladamente al terminar la primaria e iniciar la secundaria, hacen lo mismo; en la escuela de mi hija había, las "matadas", las "nerds", las "zorras" y las "populares". Evidentemente todo mundo trataba de pertenecer a este último y exclusivo grupo. Platicando con ella me enteré que cada agrupación tenía códigos y vestimentas diferentes así como conductas propias. El asunto me llamó mucho la atención y entonces cada que iba a la escuela de mis hijos les pedía que me identificaran a los miembros de cada gremio.

Entendí entonces que el concepto de "popularidad" adolescente nada tenía que ver con el que yo manejo en el sentido de que alguien es apreciado por cualidades positivas como ser un buen amigo o un buen compañero. Nada de eso, en realidad los y las populares tenían dos características distintivas; eran los más atractivos en el sentido físico y también los más frívolos. Hablaban como si trajeran una papa en la boca y hacían ostentación de sus celulares y su ropa de marca.

¿En serio crees que ser popular se vincule con esas características? Yo francamente no lo creo. Si bien la adolescencia es un período en el que factores externos como la ropa o el aspecto son muy relevantes para los jóvenes son desde luego irrelevantes al competir con atributos como la honestidad o la capacidad de hacer amigos duraderos.

A veces para ser "popular" hay que tragar algunos sapos. Como hemos visto, los grupos tienen códigos propios que nos pueden parecer o no pero que hay que acatar si queremos formar parte de ellos. En el caso de los y las "populares" detecté antivalores que me parecieron tristísimos: vacío intelectual, desprecio hacia aquellos que son diferentes, ostentación económica e interés en cuestiones realmente banales. También me di cuenta que los padres de estos chavos eran completamente ajenos a la situación, sustituían su falta de interés en sus hijos dotándolos de objetos materiales.

CAPÍTULO OCHO

Fedro Carlos Guillén

¿ADOLESCENTE? ERES UN MUTANTE DISFRÚTALO

DECISIONES PROFESIONALES

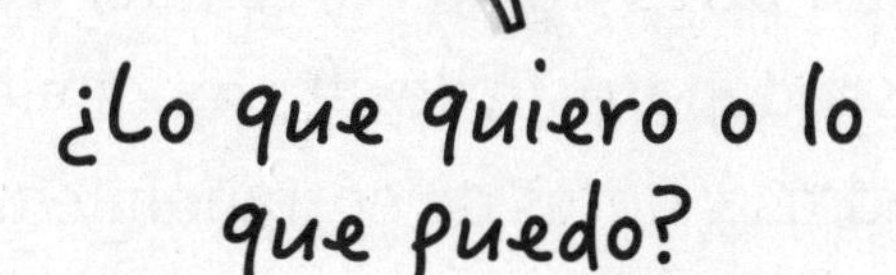

Te voy a contar una historia personal; de niño yo era muy raro, prefería encerrarme a leer libros que salir a jugar a la calle (sí, en mis tiempos se jugaba en la calle), leía y leía y cuando me preguntaban qué quería hacer en la vida dudaba en responder, ya que tenía deseos de contestar: "lector de libros", pero hasta yo me daba cuenta que nadie vive de eso.

Cuando llegó el momento de tomar una decisión sufrí una enorme angustia ya que no tenía la menor idea de lo que querría hacer en el futuro. Recuerdo que llegué a un galerón enorme en el que había bancas con papeletas en las que había una lista de las opciones profesionales y me quedé mirando al techo durante diez minutos... trataremos que eso no te pase a ti.

Como lo primero es lo primero, seguramente ya te has dado cuenta de lo que te gusta por sobre lo que te parece menos atractivo; hay quienes prefieren las matemáticas y se mueven como peces en el agua en ese medio que para otros, como yo, es muy inhóspito. Hay quien quiere ser deportista de alto rendimiento y entonces invierte horas y horas de entrenamiento diario con el fin de alcanzar esa meta. Algunos más se fijan en el glamour asociado a ciertas profesiones (cuando era joven, pilotear aviones o ser un naturalista de esos que se meten a la jungla y trabajan con animales eran las favoritas). Hoy me parece que las relaciones internacionales, la arquitectura o la psicología han ganado terreno.

En algunas ocasiones las carreras a las que aspiramos tienen un alto costo económico al que no todos pueden acceder; ¿la respuesta? Las becas, prácticamente todas las instituciones privadas de educación superior cuentan con un sistema de apoyos a estudiantes de excelencia.

ENTONCES LAS PREGUNTAS QUE TE PUEDES HACER SON MUCHAS. *Déjame ayudarte con una serie en forma de ametralladora:*

¿A qué profesionistas admiro? ¿QUIERO GANAR MUCHO DINERO? ¿Me gustaría trabajar en una ciudad o en un medio rural? ¿ME GUSTARÍA AYUDAR A LA GENTE? ¿Tendría que usar corbata o un vestido formal para cumplir mi trabajo? ¿CUÁLES SON MIS MATERIAS FAVORITAS? ¿Prefiero una Universidad pública o una privada? ¿QUÉ TAN DIFÍCIL O DURA ES LA CARRERA QUE ME GUSTARÍA ESTUDIAR? ¿Existen ofertas laborales en lo que me gusta hacer? ¿ME GUSTA TRATAR CON LA GENTE? ¿Estaría interesado en un trabajo que me guste aunque no sea bien pagado? ¿ME INTERESA EL RECONOCIMIENTO SOCIAL? ¿Preferiría trabajar con grupos de personas o de manera aislada? ¿ME GUSTARÍA SER UN HÍPER ESPECIALISTA EN UNA MATERIA O TENER UN CONOCIMIENTO MÁS GENERAL PARA CUMPLIR MI PROFESIÓN? ¿En aquello que elija es necesario un posgrado? ¿LA ESCUELA DONDE ME GUSTARÍA ESTUDIAR SE ENCUENTRA CERCA DEL LUGAR DONDE VIVO? ¿Me atraen las profesiones que siguieron mis padres? ¿EN REALIDAD QUIERO ESTUDIAR ALGO O PREFIERO DEDICARME A TRABAJAR DESDE MUY JOVEN? ¿Mi familia necesitará de mis ingresos? ¿PREFIERO UN SISTEMA RÍGIDO O UN SISTEMA MÁS FLEXIBLE?... mucha suerte

Presiones familiares

¿Te acuerdas de mi amigo Félix Fernández, el portero del Atlante? Él y sus hermanos se dedicaron a profesiones completamente diferentes. Sin embargo a veces ocurre lo contrario; el año pasado tuve la oportunidad de conocer al arquitecto Francisco Serrano, uno de los más notables profesionales en su materia, autor entre otras grandes obras de la terminal 2 del Aeropuerto Internacional de la Ciudad de México y la Universidad Iberoamericana. Cuando entré a su sala de juntas me di cuenta que estaba tapizada de diplomas; se trataba de cuatro generaciones de arquitectos representados en la pared; su padre, su abuelo, sus hijos: me pareció un hombre entrañable y de alguna manera me gustó que la familia entera se dedicara a la misma profesión pero: ¿Qué pasa si esto no ocurre?

Ya te he contado lo difícil que fue para mí escoger una carrera; mi padre era escritor y deseaba que yo me orientara a las humanidades, sin embargo, jamás me presionó en dirección alguna y elegí la biología donde, entre grandes tumbos, acabé la carrera. Elegir la profesión a la que te dedicarás es una decisión personal y única, lo que por ningún motivo quiere decir que no consultes con tus padres y amigos o con personas que se dedican a la profesión que te interesa. Sin embargo, a veces, sólo a veces, los padres toman las decisiones sin tomar en cuenta las opiniones de sus hijos; militares que quieren que sus hijos sean militares o médicos que quieren heredar su consultorio.

Te voy a contar la historia de Lázló Polgár, un pedagogo húngaro que sostenía en su libro *Criar Genios* la hipótesis de que los genios no nacen sino se hacen y se propuso educar a sus hijos de manera autónoma. Solicitó una esposa para realizar su "experimento". Cuando finalmente se casó tuvo tres hijas: Susan, Sofía y Judith, a las que educó y enseñó a jugar ajedrez desde muy pequeñas. Uno de los primeros resultados fue la victoria de Susan en el Campeonato de ajedrez de Budapest para menores de 11 años a la edad de 4. Actualmente las hermanas Polgar juegan contra hombres y dos de ellas tienen el grado de Gran Maestro Internacional y la restante es Maestro Internacional.

¿Qué opinas? Yo en lo personal creo que el señor Polgár logró demostrar su punto pero sin considerar la necesaria autonomía que deben tener los hijos para tomar decisiones personales. A mí francamente no me gustaría que antes de nacer ya se hubieran tomado determinaciones irrevocables sobre mi futuro.

Me parece que, además de darte consejos, tus padres deben platicar contigo acerca de la elección que tomes con respecto a cuestiones como si les es posible financiar tu carrera o si contarás con su respaldo, pero por ningún motivo deben tomar la decisión en tu lugar, basados en sus propias aspiraciones cumplidas o incumplidas.

Elegir una profesión depende de un sinfín de factores pero es un momento importante en tu vida, que si bien admite cambios (es perfectamente normal cambiar de carrera si esta no te convence) debe tomarse con toda seriedad. Platica con tus padres si percibes que ellos ya tienen "planes" para ti y hazles ver que es necesario respetar tu independencia. Estoy seguro que lo entenderán si lo haces serenamente y con argumentos claros.

Mi carrera no será lucrativa ¿qué hago?

El modelo civilizatorio occidental se ha cimentado sobre una serie de conductas a las que llamo "antivalores". Estamos acostumbrados a ofrecer respuestas individuales a problemas colectivos y a recelar de los demás. Cuando yo era niño, allá en el Precámbrico, mi madre me decía al salir a la calle: "cuídate de los extraños", ¿por qué? Pues porque vivía en una colonia en que todos nos conocíamos y teníamos una buena relación. Hoy todo mundo es extraño y jugar en la calle es materia del pasado. Otro antivalor es el de la idea de que el éxito se mide por la capacidad de consumo de una persona, es decir por la cantidad de dinero que posee. Mi hija hizo un ensayo en tercero de prepa acerca de cómo las carreras actuales se han dejado de orientar para la formación integral de un estudiante y han redirigido sus programas para producir ofertas académicas que resultarán lucrativas para el que las elija.

¿En verdad te causa admiración alguien con una pluma, un reloj o una bolsa que vale cien mil pesos? A mí no, porque detecto de inmediato que más que un objeto para escribir, medir el paso del tiempo o almacenar llaves y carteras, se trata de mensajes hacia el resto de nosotros: "yo puedo comprarme esto y tú no". Por supuesto están en el derecho de usar su albedrío para comprarse lo que gusten, sin embargo, reflexiona un poco acerca de las señales ocultas que nos mandan.

Benjamín Franklin dijo: "De aquel que opina que el dinero puede hacerlo todo, cabe sospechar con fundamento que será capaz de hacer cualquier cosa por dinero". Y Josep Pla escribió: "El dinero no da la felicidad, ciertamente; pero tampoco es un serio obstáculo". ¿Qué opinas? Por supuesto que hay gente dispuesta a hacer todo por dinero, inclusive robar y matar en una escala ,o no hacerse cargo de la educación ni el contacto con sus hijos, en su afán por hacer más dinero. La pregunta básica es: ¿El dinero da la felicidad? Como dice Pla, ciertamente no estorba, pero en el momento que se vuelve un fin en sí mismo más que un medio para que vivas como elijas hacerlo, todo se trastorna.

La ONU publica un Índice de Felicidad Mundial, sí, "felicidad", basándose en indicadores no monetizados como la capacidad de tomar decisiones autónomas, la generosidad, el apoyo social o la salud de las personas. A mí me parece muy buena idea ya que de eso se trata la vida, de ser feliz, y para lograrlo se pueden llevar estilos de vida muy diferentes. En esta página hallarás un ejemplo de este índice 🌐 *http://thewow.com.mx/2013/09/ultimo-indice-de-felicidad-mundial/*

El padrino de mi hermana Diana se llamaba Guillermo Toriello y era un guatemalteco heredero y millonario que un día decidió cambiar su estilo de vida y abandonar su riqueza. Se fue a vivir a Cuba, donde lo visité en el año 1992; tomando un poco de ron le pregunté si era feliz: "muchísimo", fue su respuesta sonriente.

Elige la carrera que gustes y piensa sobre todas las cosas si ella te hará feliz; el dinero no estorba pero por ningún motivo debería ser el primer factor que oriente tu decisión. Como siempre, te invito a que lo pienses con cuidado y decidas si lo que moverá el resto de tu vida son los recursos económicos que te permitan comprar tu plumota de cien mil pesos.

Algunos consejos

Sé que he abusado de ejemplos familiares pero son los que tengo a la mano y me son más cercanos. Hace poco más de un año mi hija María llegó al momento de elegir la universidad en la que quería estudiar Relaciones Internacionales, para ello valoró cinco opciones; la UNAM, el CIDE, el ITAM, una Universidad en Nueva York (lo que me provocó un ligero soponcio) y el Colegio de México. En todos los casos se informó de los programas de estudio y, con excepción de Nueva York, visitó todos los planteles e inclusive escuchó clases y habló con una gran cantidad de personas para tomar su decisión; quedaron como finalistas el ITAM y el Colegio de México, el primero le ofrecía una beca total y el segundo tenía tres exámenes de admisión muy complejos que finalmente pasó para entrar a esta última institución.

Los pasos que siguió me parecieron los correctos, creo que es importante que conozcas a fondo la Universidad en la que te interesa estudiar, el perfil de sus maestros y su rankeo, si es que existe. De hecho, muchas instituciones ofrecen pláticas de iniciación para los aspirantes a estudiar en ellas. Es importante conocer la situación de cada carrera; para ello, el Instituto Mexicano para la competitividad publicó en 2013 la siguiente lista de profesiones y sus posibilidades, analizando 64 carreras.

ESTA ES LA INFORMACIÓN QUE TE PUEDE SER DE UTILIDAD.

1.- MINERÍA Y EXTRACCIÓN

Sueldo: 24,863 pesos

Total de personas que estudiaron la carrera: 18,898

Segmentación: 80% hombres y 20% mujeres.

Porcentaje de la población profesional: 0.1%

Tasa de ocupación: 87.8%

Tasa de desempleo: 12.2%.

2.- FINANZAS, BANCA Y SEGUROS

Sueldo: 19,725 pesos

Total de personas que estudiaron la carrera: 40,964

Segmentación: 70% hombres y 30% mujeres.

Porcentaje de la población profesional: 0.4%

Tasa de ocupación: 95%

Tasa de desempleo: 5%.

3.- SALUD PÚBLICA

Sueldo: 17,013 pesos

Total de personas que estudiaron la carrera: 10,860

Segmentación: 76% hombres y 24% mujeres.

Porcentaje de la población profesional: 0.1%

Tasa de ocupación: 95%

Tasa de desempleo: 5%.

4.- SERVICIOS DE TRANSPORTE

Sueldo: 16,888 pesos

Total de personas que estudiaron la carrera: 9,767

Segmentación: 74% hombres y 26% mujeres.

Porcentaje de la población profesional: 0.1%

Tasa de ocupación: 98.6%

Tasa de desempleo: 1.4%.

5.- FÍSICA

Sueldo: 16,379 pesos

Total de personas que estudiaron la carrera: 19,216

Segmentación: 83% hombres y 17% mujeres.

Porcentaje de la población profesional: 0.2%

Tasa de ocupación: 100%

Tasa de desempleo: 0%.

En esta página viene la información completa y actualizada. Te invito a echarle un vistazo 🌐 *http://imco.org.mx/wp-content/uploads/2014/04/20140404-Compara-Carreras.pdf*

TRATA DE PENSAR SOBRE TODO ESTO Y ORIENTA TUS DECISIONES RESPECTO A LOS VALORES QUE HAS VENIDO CONSTRUYENDO. EN ESTE LIBRO HE TRATADO DE DARTE MI OPINIÓN SOBRE MUCHOS TEMAS ACOMPAÑADOS DE ALGO DE INFORMACIÓN. ESPERO SINCERAMENTE QUE TE RESULTE INTERESANTE Y QUE ORIENTE ALGUNAS REFLEXIONES.

Vives un tiempo maravilloso y único, aprovéchalo a tope pero cuidado; recuerda que aprovecharlo no supone vivir de prisa sin sensatamente. Cuando te sientas confundido (ocurrirá) habla con tus padres y amigos y, de ser necesario, con un especialista; estoy seguro que te darán toda la ayuda que necesitas.

Me despido de ti pero espero que sólo temporalmente, espero que nos podamos encontrar más tarde y saludarnos, aunque sea por esta vía. Después de todo, los que escribimos tenemos siempre la esperanza de entablar alguna relación con nuestros lectores... hasta pronto.